EDUCAR SEM CULPA:
A GÊNESE DA ÉTICA

OUTRAS OBRAS DA AUTORA

Encurtando a adolescência
Rampa (romance)
O adolescente por ele mesmo
Sem padecer no paraíso
Diabetes sem medo (Editora Rocco)
A escola em Cuba (Editora Brasiliense)
Limites sem trauma
Escola sem conflito
Os direitos dos pais
O professor refém
Filhos, manual de instruções

Coleção Ecológica (infantil)
O mistério da lixeira barulhenta
O desmaio do beija-flor
A visita da cigarra
O macaquinho da perna quebrada
O estranho sumiço do morcego

Tania Zagury

EDUCAR SEM CULPA:
A GÊNESE DA ÉTICA

29ª EDIÇÃO

EDITORA RECORD
RIO DE JANEIRO • SÃO PAULO
2015

CIP-Brasil. Catalogação-na-fonte
Sindicato Nacional dos Editores de Livros, RJ.

Z23e
29ª ed.
Zagury, Tania, 1949-
  Educar sem culpa: a gênese da ética / Tania Zagury.
  – 29ª ed. – Rio de Janeiro: Record, 2015.

  Relacionado com: Sem padecer no paraíso.
  ISBN 978-85-01-05925-3

  1. Pais e filhos. 2. Crianças – Formação. 3. Educação de crianças. 4. Crianças – Desenvolvimento. 5. Psicologia infantil. I. Título.

00-0458
CDD – 155.4
CDU – 159.922.7

Copyright © 1993 by Tania Zagury

Texto revisado segundo o novo Acordo Ortográfico da Língua Portuguesa.

Direitos exclusivos desta edição reservados pela
EDITORA RECORD LTDA.
Rua Argentina 171 – Rio de Janeiro, RJ – 20921-380 – Tel.: 2585-2000

Impresso no Brasil

ISBN 978-85-01-05925-3

Seja um leitor preferencial Record.
Cadastre-se e receba informações sobre nossos
lançamentos e nossas promoções.

EDITORA AFILIADA

Atendimento e venda direta ao leitor:
mdireto@record.com.br ou (21) 2585-2002.

À MINHA MÃE,
que me ensinou o amor e
a fé nas pessoas.

Agradecimentos

A todos os pais que, expondo-me sinceramente suas dúvidas, propiciaram a realização deste trabalho.

Sumário

Introdução 11

1. BRINCAR COM OS FILHOS, UMA OBRIGAÇÃO? 17
2. MEU FILHO QUER USAR BRINCOS! 25
3. SOBRE A "LEI DE GERSON" OU DE COMO NÃO TER FILHO BOBÃO... 35
4. PAI x MÃE — QUEM É O "BONZINHO"? 49
5. QUANDO DIZER NÃO? 59
6. COM MEDO DE SER "MAU", OU SOBRE O PODER DA CRÍTICA ALHEIA 69
7. "QUERO DAR AO MEU FILHO TUDO O QUE NÃO TIVE" 79
8. LIMITES E CONFLITOS NA ADOLESCÊNCIA 91
9. TELEVISÃO x PAIS — A CONVIVÊNCIA POSSÍVEL 109
10. PALMADA — SIM OU NÃO? 123
11. PAIS QUE AGEM DE FORMAS DIFERENTES 135
12. PAIS SEPARADOS = FILHOS-PROBLEMA? 141
13. FILMES VIOLENTOS = JOVENS VIOLENTOS? 153
14. VOVÓS QUE "ESTRAGAM" OS NETINHOS 163
15. QUANDO A CULPA É SEMPRE DOS FILHOS DOS OUTROS 171

16. MEU FILHO TEM TUDO, MAS VIVE INSATISFEITO 179
17. CIÚME ENTRE IRMÃOS 189
18. O QUE FAZER SE MEU FILHO ME BATE? 201
19. MESMA EDUCAÇÃO, MAS TÃO DIFERENTES... 209

Conclusões 215

Introdução

Após a publicação do livro *Sem padecer no paraíso*, que trata da relação pais-filhos sob a influência da pedagogia liberal, comecei a receber convites para falar a pais sobre o tema. Esses convites tornaram-se altamente enriquecedores, pois me possibilitaram, mais uma vez, estar em contato direto com as angústias e alegrias da atual geração de pais. Foram setenta e seis palestras — todas com debates ao final. Nesses encontros, riquíssimos de emoções, estive com mais de sete mil pais.

Foi aí que percebi a convergência dos problemas: tudo que a pesquisa de campo do livro anteriormente citado indicava estava ali. As mesmas dúvidas, as mesmas culpas, os mesmos medos e, consequentemente, as mesmas dificuldades. Os pais me trataram com muito carinho: alegravam-se porque uma especialista em educação afinal não os estava acusando, pondo-lhes todas as culpas nos ombros, mas sim entendendo, acreditando neles e no quanto desejam acertar. Ao mesmo tempo, procuravam com muita ansiedade respostas às suas indagações... Como afirmo em meu trabalho anterior, os pais, em sua grande maioria, querem acertar, querem o melhor para os seus filhos. Exceção são os que maltratam, espancam, violentam. Acredito cada vez mais nisso. A GRANDE MAIORIA DOS PAIS QUER, DESEJA, LUTA PELO BEM DOS FILHOS. ÀS VEZES ERRAM, É CLARO, PERDEM-SE EM MIL DÚVIDAS, MAS EM GERAL ESSA INSEGURANÇA SE DÁ JUSTAMENTE PELO INTENSO DESEJO DE ACERTAR, DE ENCONTRAR A MELHOR RESPOSTA PARA A EDUCAÇÃO DOS FILHOS.

Os pais que participaram dos encontros tinham as mais diversas características: eram profissionais de áreas as mais variadas, tinham diferentes estados civis, moravam em locais distantes, tinham número de filhos diferentes, de idades diferentes. Sua própria faixa etária era bem ampla (desde pais muito jovens, em torno de vinte anos, até os que se autointitulavam "pais-avós"). Além disso, moravam em diferentes cidades do estado do Rio de Janeiro, e até em outros estados como São Paulo, Mato Grosso do Sul, Minas Gerais, Paraná etc. Nesses momentos de troca, pude reafirmar as generalizações feitas com base nos resultados da pesquisa descrita no livro anterior: sobre as dúvidas, as culpas e a insegurança dos pais de hoje.

São basicamente três as características da nova geração de pais de classes média e alta:

- O DESEJO DE NÃO REPETIR O MODELO AUTORITÁRIO DA GERAÇÃO ANTERIOR;
- A INSEGURANÇA QUANTO À FORMA DE AGIR COM OS FILHOS, e
- A CULPA EM RELAÇÃO A ELES.

Os debates que se seguiram a cada palestra me fizeram perceber que as perguntas apresentadas pelos pais se repetiam muito. Quer dizer, as dúvidas que os pais demonstravam eram muito semelhantes. As mesmas perguntas me foram formuladas diversas vezes, apenas com roupagem diversa, mas o conteúdo básico era o mesmo. Comecei, então, a compilar essas dúvidas. Ao final de cada encontro, passava-as para o papel. Ao cabo de dezenas de palestras, pude sentir que, além de elas coincidirem, havia também uma certa ansiedade por RESPOSTAS PRONTAS, FÓRMULAS DEFINIDAS, o "caminho certo" (aqui compreendido como a melhor maneira de lidar com as crianças de forma a conduzi-las a um futuro feliz).

Decidi, então, continuar o trabalho que começara ao escrever *Sem padecer no paraíso*: percebi que muita coisa que perturba e confunde os pais de hoje poderia ser discutida de forma a beneficiar as pessoas interessadas em entender o enfoque moderno da educação, principalmente se isso pudesse ser feito de uma forma direta e objetiva, sem excessivas teorizações, porém conduzindo-as a uma reflexão para posterior posicionamento. Foram mais de cem questões, mas, devido à semelhança entre muitas delas, reuni-as por temas, que geraram dezenove questões. São as dúvidas que mais atormentam os pais atualmente.

Este trabalho é uma continuação do primeiro, embora autonomamente, isto é, uma leitura não depende da outra, mas, de certa forma, uma COMPLETA a outra. Não apresento, porém, respostas prontas nem indico aos pais o que é "certo" ou "errado" porque não tenho (e nunca terei) a pretensão de resolver a vida de ninguém. O que desejo é tão somente, partindo de minha experiência e de meus conhecimentos em educação e psicologia, propiciar aos pais material para reflexão — uma espécie de ponto de partida que auxilie a refletir de forma consciente e crítica sobre sua vida e a de seus filhos, tomando por base um contexto familiar que se estruture de forma democrática e moderna, porém sem psicologismos ou democratismos, e, a partir dessa reflexão, detonar um processo de busca que leve a alcançar em suas vidas a CORRESPONDÊNCIA NO PARAÍSO, que é como defino uma vida familiar em que se tenham como arcabouço básico das relações a democracia, o respeito mútuo, a amizade, a ética e a lealdade. É a tentativa de estruturar uma relação autêntica com os filhos em que nenhuma das partes — nem pais nem filhos — "tiranize" a outra.

É uma tarefa trabalhosa e difícil, porque o próprio ato de criar filhos é trabalhoso (e como...) e difícil (só quem já os tem sabe realmente...). Acredito, porém, que, com esforço, equilíbrio e perseverança (muita perseverança) tudo seja possível. Desde que se acredite e lute para valer...

A título de esclarecimento utilizei o termo "pai", "mãe" ou "pais" indiferentemente, a não ser em algumas situações específicas, porque vejo que ambos se encontram hoje diante de uma encruzilhada: sofrem ambos, independentemente do sexo, das mesmas dúvidas, temores e angústias; portanto, têm, para mim, o mesmo peso e valor. Somos, todos nós, essencialmente educadores...

Os capítulos referem-se a cada um dos temas mais abordados pelos pais. São trabalhados de forma autônoma, de modo a permitir uma leitura independente. Assim, se você está preocupado hoje com o problema da violência na TV e quer refletir sobre isso apenas, vá diretamente ao capítulo 13. Se amanhã o que o estiver incomodando for a forma de seu(sua) esposo(a) agir com seu filho, a leitura do capítulo 11 poderá ajudar. Porque eu sei que cada dia na nossa vida de pais nos traz novas ansiedades e questões, e as sentimos

EDUCAR SEM CULPA

naquele momento, como as mais prementes de todas. Por isso, escolhi essa forma de organização. Para que nossas dúvidas encontrem um eco imediato e, quem sabe, a seguir, um alívio imediato.

Rio, agosto de 1993

CAPÍTULO 1

Brincar com os filhos, uma obrigação?

☙

*Quando chego em casa, após o trabalho,
tendo ficado fora praticamente o dia
todo, sinto-me obrigada a brincar com
meus filhos, mas, após algum tempo, uma,
duas ou até meia hora, já estou louca
para parar. Sempre me parece que minhas
amigas têm mais paciência que eu.
O que posso fazer?*

*E*sta pergunta foi uma constante nos debates e encontros com os pais. O que considero importante discutir é a FORMA pela qual a pergunta foi colocada: "sinto-me obrigada", "minhas amigas têm mais paciência". Foram inúmeras as ocasiões em que os pais referiram esse tipo de preocupação. É natural que, quando os pais ficam fora de casa o dia todo e as crianças na creche ou escola de tempo integral, ao reunirem-se em casa à noite haja uma preocupação em CONVIVER, em TROCAR as experiências vividas separadamente no dia a dia.

Há de fato uma necessidade de COMPENSAR a criança afetivamente pela longa ausência. O amor e a atenção demonstrados nestes momentos são de suma importância para o equilíbrio emocional, principalmente das crianças mais novinhas. Elas ainda não apreenderam o sentido dessas ausências diárias e podem realmente necessitar de uma REAFIRMAÇÃO, digamos assim, do amor e da dedicação dos pais. Então é bom que se dedique esse tempo aos nossos filhos. Só que, se isso for feito ÚNICA E EXCLUSIVAMENTE POR OBRIGAÇÃO, quer dizer, se você não sente prazer algum nesse contato, então provavelmente ele resultará ineficaz. A criança tem uma sensibilidade muito grande, e é perfeitamente capaz de perceber que você está SE OBRIGANDO a alguma coisa — no caso, brincar com ela —, e esse sentimento (perceber que você não gosta de brincar com ela) pode ser confundido com "não gosta de mim". Portanto, a primeira coisa a considerar é que A CRIANÇA REALMENTE PRECISA DA ATENÇÃO DOS PAIS, mas, por outro lado, é também muito importante lembrar que ela percebe quando não estamos fazendo alguma coisa autenticamente, prazerosamente.

A CRIANÇA SABE QUANDO VOCÊ — PAI/MÃE — ESTÁ FELIZ

Então, antes de mais nada, é preciso que a gente pense em "como" estamos nos sentindo quando brincamos com nossos filhos: se temos realmente prazer nisso, perfeito! Nada a mudar. Mas se você admite (mesmo que só para si) que ODEIA ou apenas TOLERA brincar, aí então as coisas são bem diferentes.

O importante é o CONTATO com a criança, não obrigatoriamente brincar com ela. Pessoalmente, adoro brincar com crianças, sejam meus filhos ou não. Porém nenhum adulto amadurecido consegue SER CRIANÇA por muito tempo. A gente consegue e ama brincar por, sei lá, meia hora, uma, duas até! Depois a gente quer e precisa "virar adulto outra vez". E é normal que seja assim. Já pensou se todos os adultos, de repente, agissem como crianças de novo? Devemos brincar sim, sempre que tivermos vontade, desejo disso. Quando não, existem outras formas bastante satisfatórias para os dois lados. Por que não ficar AO LADO das crianças, lendo o jornal, conversando com elas ou assistindo a um filme enquanto elas brincam com seus joguinhos ou bonecas? Proponha "Venha brincar aqui pertinho da mamãe enquanto lavo a louça" ou "Traga seus brinquedinhos e fique aqui com o papai enquanto leio o jornal..." Isso mostrará à criança que a companhia dela é desejada, "curtida", prazerosa. Muito mais produtivo afetivamente do que brincar de casinha tentando disfarçar sua impaciência...

Por outro lado, as crianças têm uma característica quase inesgotável de repetir uma mesma brincadeira. Quando elas gostam de um tipo de atividade, repetem e repetem, sem se cansar nunca. Já nós adultos, não. A gente enjoa, quer parar, depois de uma ou duas partidas de pingue-pongue, por exemplo. Mas elas não... Aí, entram o medo, a insegurança e a culpa. Medo de errar, culpa por não ter ficado o dia inteiro à disposição da criança (mesmo que tenha "trabalhado como um mouro" durante todo o dia) e insegurança quanto à melhor forma de agir para ser um pai moderno, um pai "bom o bastante", como dizia Bettelheim. Com esses três ingredientes, qualquer pai ou mãe está prontinho para se tornar um "escravo" das vontades dos filhos...

Voltemos ao equilíbrio: nossos pais e avós raramente "sentavam-se para brincar" com os filhos. Nossa geração, já sob a influência positiva dos conhecimentos que a psicologia nos trouxe, sabe da importância de brincar, de conviver com os filhos de forma mais íntima e pessoal. Mas convém não esquecer o quanto é importante a autenticidade na relação. Claro, com pequenos sacrifícios por parte dos adultos, porque alguns realmente não gostam de brincar com as crianças e, no entanto, o fazem com bastante frequência, visando a atender a uma necessidade dos filhos. Portanto, não se trata de fazer SOMENTE O QUE SE QUER. Acho até que a maioria dos pais encontra-se disponível, verdadeiramente disponível, para dar um tempo diário aos filhos. O que não implica "ficar brincando desde a hora que chega em casa até a hora em que eles desmaiem de sono". Alguns pais me contaram, com desânimo, que só conseguem ir jantar à noite depois que as crianças adormecem de tanto brincar. Isso desde a hora em que põem os pés em casa! Só então é que, pé ante pé (para que as crianças não acordem), conseguem tomar seu banho, jantar, conversar ou simplesmente, em alguns casos, correr para a cama também — para aproveitar a folga que os filhos deram... Alguns disseram-me até que nem levam logo as crianças para a cama, esperando que aprofundem mais o sono, porque poderiam acordar e aí seria aquele problema... começar tudo de novo...

Nesses e em outros casos, percebe-se que muitos pais agem como se temessem os filhos, embora muitas vezes nem tenham consciência disso. Assim, vivem alarmados, com medo por exemplo de que os pequeninos acordem, porque aí "terão" de brincar com eles, ler historinhas, enfim, "ficar à disposição", conforme afirmam.

O grande problema, no caso, é, em primeiro lugar, a CULPA. Culpa por trabalhar o dia todo, para dar-lhes conforto e segurança? Por tê-los deixado numa creche, cheia de pedagogos e psicólogos?! Naquela mesma creche que você escolheu dentre mil outras, com tanto carinho, tantos cuidados, depois de tomar tantas informações?

A culpa na geração de pais de hoje é tão grande e encontra-se tão arraigada que eles mesmos nem percebem. Um simples choro da criança causa-lhes uma sensação que não conseguem aguentar e que os faz partir imediatamente, sem qualquer análise, para atendê-la em tudo que solicite.

"Mas assim ele chora!", dizem-me muitas e muitas mães. É como se o fato de o filho chorar representasse um atestado de incompetência ou de falta de humanidade dos pais.

"Tadinho!", completam outras... Aí você olha o "tadinho" e vê o quê? Um supermenino lindo, gordinho, alegre, cheio de vida. Cadê o "tadinho"? Você procura e procura, mas não acha... Em vez disso, uma criança linda, saudável, perceptiva ao extremo, exercitando sua capacidade de controlar os adultos. Observe: eles dão umas "espiadinhas" pelo canto dos olhos, só para ver o efeito que estão causando. Mas os pais os veem como "coitadinhos" porque sentem-se, na verdade, eles próprios devedores do filho.

À porta de uma escola, pode-se assistir a cenas curiosas: crianças aos berros e pais suando, pálidos, sentindo-se monstros, porque têm de deixar os filhos para ir ao trabalho. Imploram, explicam, beijam, acarinham a mais não poder, prometem mil coisas... Por isso mesmo, algumas proíbem que os papais entrem, pegando os pequerruchos logo à entrada. Os que mais berram e esperneiam, deixando os pais arrasados e sentindo-se desumanos, como que por encanto, assim que somem de suas vistas, começam a brincar como se nada tivesse acontecido. Sei, os psicólogos dirão que existem muitos motivos para explicar esse tipo de comportamento. Concordo. Mas, em termos práticos, os pais precisam acreditar na decisão que tomaram ao colocá-los numa creche. Precisam crer que NÃO ESTÃO FAZENDO NENHUM MAL AOS FILHOS. Para poder viver "sem padecer no paraíso"...

Não é hora de pensarmos com mais lucidez? Olhem para os seus filhinhos. Em sã consciência, observe-os brincando, vendo TV, quando estão com os amiguinhos: SERÃO ELES MESMO DIGNOS DE PENA?

Certamente que não... Então a questão é: brincar sim, quando houver vontade mútua de partilhar. Conviver muito, sempre que possível, nos horários que tivermos em conjunto, mas somente enquanto esta atividade propiciar prazer e satisfação para ambas as partes. É bem melhor partilharmos meia hora feliz do que três longas horas de obrigação. Essa coação que nos fazemos, fruto de uma interpretação equivocada das modernas relações pais-filhos, redunda em tensão, porque, cansados, violentamo-nos, obrigamo-nos a alguma coisa que não desejamos realmente. Com isso, a criança, percebendo nossa má vontade (por mais que a disfarcemos), tende a se tornar mais e mais exigente, numa busca do pai que a ama e deseja estar com ela e que, naqueles momentos, ela não encontra.

Estar junto sim. Brincar com uma criança, só quando estivermos com vontade. Podemos também deixar esta atividade para a hora em que já estivermos um pouquinho mais descansados, depois de um bom banho ou após relaxar dez minutos. Então, ao nos dedicarmos a eles, sem nos violentarmos e tendo sempre em mente que não estamos lhes fazendo nenhum mal apenas porque deixamos para mais tarde esse encontro, com certeza a qualidade desses momentos sobrepujará a quantidade de vezes que você se obrigou, se martirizou ou aceitou brincar para aplacar suas culpas. Você não é culpado. Você é o pai de uma criança maravilhosa a quem ama, respeita, apoia, ampara e que, por tudo isso, lhe devolve esse sentimento. Principalmente quando você lhe passa segurança e tranquilidade. Aproveitemos!... Vamos brincar, curtir, sentir o prazer de acompanhar os progressos dos nossos filhos, mas sem que isso represente novos grilhões, novas obrigações nas nossas vidas.

CAPÍTULO 2

Meu filho quer usar brincos!

☙

Meu filho já tem cabelos compridos até os ombros, só usa tênis imundos e agora quer furar as orelhas para colocar brincos, o que detesto. Devo usar minha autoridade e proibir, já que sou contra?

Uma das grandes preocupações dos pais refere-se às modas e manias que surgem, de tempos em tempos, e às quais os adolescente são bastante suscetíveis. Este problema enquadra-se numa gama mais ampla de dúvidas dos pais modernos, que poderíamos chamar de forma mais genérica "O QUE PROIBIR, COMO PROIBIR E QUANDO PROIBIR".

Sem dúvida nenhuma, se, desde a infância, a relação com os filhos foi de extrema permissividade, isto é, se desde bem pequena a criança foi habituada a fazer apenas o que ela deseja, na adolescência, fase que tem como uma das características básicas a necessidade de autoafirmação, de cortar o "cordão umbilical", qualquer tipo de proibição será muito mal recebido. Isto porque já há um comportamento aprendido de não autoridade na relação com os pais. De modo que se torna bastante problemática a proibição de qualquer coisa nesses casos. Não significa, é claro, que não seja possível reverter o quadro. Mas implicaria uma mudança de postura por parte dos pais e não aconteceria, jamais, sem conflitos.

Por outro lado, se, desde cedo, a criança foi habituada a ver nos pais figuras de autoridade, haverá muito maior possibilidade de se conseguir algum tipo de controle.

Essa questão, no entanto, deve ser analisada de outro ponto de vista, muito mais expressivo do que meramente pensar se se deve ou não proibir o filho de usar cabelos longos ou usar brincos, por exemplo.

Tenho visto os pais desperdiçarem muito de suas energias com coisas desnecessárias e deixarem de agir nas que são de fato importantes. Pais se escabelam para que o filho coma mais duas ou três colheradas no almoço, para que coloque casaco ao sair para brincar, para que vista o pijaminha na hora de dormir. Essas coisas provocam, por vezes, verdadeiras batalhas familiares. Enquanto isso, as discussões essenciais, aquelas realmente fundamentais para o futuro dos nossos filhos, muitas vezes são deixadas de lado.

Essa questão é mais ou menos como o exemplo do pijama. Será que é realmente NECESSÁRIO dormir de pijama para DORMIR BEM?

É sempre bom lembrarmos que, em nossa época, com essa mesma idade, também fazíamos coisas então impensáveis para nossos pais, como por exemplo não usar sutiã, fumar etc. Então é importante que não percamos a perspectiva frente ao novo, ao que não estamos acostumados. Mesmo os adolescentes mais "avançados", mais contestadores, tendem, na maturidade, a tornarem-se mais ou menos conservadores. Acontece com quase todo mundo. Por isso é preciso analisar bem as nossas motivações ao proibirmos algo. Em muitas ocasiões, proibimos sem necessidade, por mero formalismo.

As modas vão e voltam. Por exemplo: na época de D. Pedro I, os homens usavam aquilo que hoje chamamos *legging*, impensável de ser usado por homens hoje em dia. Usavam também cabelos longos, presos com laços (hoje considerados femininos), e na França empoavam o rosto e usavam perucas cacheadas. E o que dizer dos saiotes que usavam por cima das malhas justíssimas? E os sapatos de bico fino, de cetim, com grandes laçarotes de renda no peito do pé? Já pensou um filho nosso saindo assim hoje em dia à rua? No entanto, na época, ninguém achava estranha essa indumentária...

Acredito que o máximo a fazer no caso dos brincos, tendo em vista tratar-se já de um adolescente, é conversar e tentar uma solução conciliatória. Talvez apenas dizer claramente que não concorda, que não acha bonito, que furar as orelhas é, até certo ponto, irreversível e que ele poderá mais tarde arrepender-se. Como seria num caso de tatuagem.

Mas o importante mesmo é perguntar a si próprio qual o valor dessa proibição. Talvez seja melhor resguardar nossas energias para discussões mais importantes. Por exemplo, se o jovem manifestar tendências fortes para beber ou se fuma em excesso, se não quer mais estudar, aí a briga "vale a pena". Talvez seja muito mais produtivo para os pais determinarem *a priori* quais as linhas essenciais da educação que pretendem para seus filhos e, aí sim, lutar por elas e delas não abrir mão. Nesses casos sim, usar a autoridade se for necessário, porque são assuntos vitais para o desenvolvimento saudável e harmônico de nossos filhos.

No caso em questão, em primeiro lugar, os pais necessitam analisar como foi e como está sua relação com o filho adolescente. Se existe diálogo, o primeiro passo é tentar mostrar o que há de inconveniente no que ele pretende realizar. Dialogar, é bom lembrar, implica obrigatoriamente uma conversa entre duas pessoas pelo menos, e, portanto, o jovem tem que também ter oportunidade de revelar o que pensa sobre o assunto. Em se tratando dos brincos, acredito que seja muito difícil para os pais proibirem pura e simplesmente. Em primeiro lugar, porque corre-se o risco de ele, mesmo assim, fazer o que quer. Frente à situação irreversível, simplesmente ter-se-á desnudado a inutilidade da proibição feita e colocado os pais diante da derrota cabal de sua atitude. Isso poderia gerar novos embates, com os pais tentando impor sua autoridade, sem sucesso, ou provocando apenas revolta, sem ganhos para ninguém.

Essa questão se insere diretamente na dúvida fundamental sobre QUANDO OU COMO EXERCER AUTORIDADE SEM RECAIR NO AUTORITARISMO. A esse respeito tenho lembrança de um caso muito engraçado, verídico.

Ocorreu com o filho de uma amiga, com cerca de treze anos, naquela fase em que eles odeiam tomar banho. O filho chegava da escola calçando seu indefectível tênis, sentava-se alegremente na sala para ver TV e, confortavelmente instalado na poltrona, feliz da vida, descalçava os pés. A família, até então tranquila, via-se tomada de pânico. (Se você acha exagero é porque ainda não conviveu com pessoas que usam tênis sem meias o dia todo...) Um pânico total e incontrolável, porque todos ou quase todos os adolescentes (meninos e meninas também) costumam usar, hoje em dia, tênis sem meias. Concordo que fica uma graça — as meninas com suas minissaias *jeans*, justinhas, e os tênis sem meias. Os rapazes com bermudas *jeans* ou calças e os pés lá, calçadinhos, aprisionados, sem ar nenhum... O único e seriíssimo problema é o cheirinho que lhes deixam nos pés, hora após hora, dia após dia, pobrezinhos, enclausurados e sem respiração...

Então, como eu ia dizendo, o menino instalava-se feliz da vida frente à televisão, provocando convulsões no resto da família quando retirava o famigerado calçado. A mãe, presa de aflição, desejosa de resolver o problema do marido e demais

EDUCAR SEM CULPA

filhos — mas sem ser autoritária, já que ela é uma mãe moderna e arejada —, já pedira várias e várias vezes ao filho que evitasse essa atitude. Mas ele não atendia, parecendo não compreender (quem sabe, gostar?) o suplício que impingia ao pai e aos irmãos. Então, ela sentiu que estava na hora de encerrar o diálogo: afinal, só ela falava e ninguém a ouvia.

O primeiro estágio numa boa relação, como vimos no livro anterior, é o do DIÁLOGO, em que pai e filho conversam, apresentam argumentos, discutem um assunto e tentam chegar a um acordo ou solução para algum tipo de conflito ou problema. O segundo momento — esgotadas as tentativas de conversar, de se fazer entender através de argumentos — é o da AUTORIDADE (diferente de autoritarismo). Cessados os esforços de entendimento racional, o adulto da relação, no caso o pai e a mãe, deve tomar alguma atitude mais firme, tendo em vista o bem-estar geral da comunidade como um todo (a família). Minha amiga nesse momento então ofereceu duas alternativas ao filho. E aí reside a diferença entre ser autoritário e ter autoridade. Ela deixou que ele escolhesse entre duas possibilidades que satisfariam a todos os membros da constelação familiar, deixando ainda que ele decidisse a opção que lhe parecesse mais conveniente a cada momento: quando quisesse muito, mas muito mesmo ficar com a família, mais do que ficar descalço, arejando os pés sem tomar banho, ele poderia ficar, DESDE QUE CALÇADO. Já quando o desejo de ficar à vontade, sem os tênis e sem banho, fosse imperativo, ele se recolheria ao seu quarto, que, inclusive, tinha uma outra televisão, embora não fosse colorida. A solução proposta teve de ser posta em prática sem maiores discussões, já que toda a família desejava isso e apenas o menino insistia em perturbar o descanso MERECIDO POR TODOS À NOITINHA, infiltrando a sala com odores não muito bem-vindos... Foi preciso que o menino compreendesse que, em se tratando de democracia, o respeito e os direitos da maioria têm de ser respeitados. Foi o que a mãe, no caso, fez. Ela mostrou ao filho que o que a maioria desejava teria de sobrepujar ao que apenas um queria.

Pode parecer óbvio, mas garanto que não é. A realidade de muitas famílias hoje é — segundo os depoimentos de seus próprios integrantes — ficarem se incomodando mutuamente, quando bastaria um pouco mais de segurança por parte dos pais para resolver conflitos simples e corriqueiros.

Vocês poderão questionar, lendo este caso: "Puxa, mas qual a importância que tem este fato tão banal?" Realmente, o fato em si não é importante. Importante será a lição que os pais poderão passar, de forma subliminar, aos filhos a partir de fatos simples como este. Quando a gente mostra a uma criança que ela não pode fazer unicamente o que deseja, QUE É IMPORTANTE QUE CADA UM TENHA SEU ESPAÇO E SEUS DIREITOS RESPEITADOS, estamos ensinando civilidade, democracia, respeito ao outro. Essas coisas vão penetrando no íntimo de nossos filhos de forma gradual, muito mais pelo que eles VEEM os outros fazerem do que pelo que se DIZ a eles para fazer. Se em nossas casas este sistema não vigora, se os pais não respeitam os filhos como acontecia nas gerações passadas (e ainda persiste em muitas famílias) ou se os filhos têm todos os direitos e os pais não se colocam como seres humanos que também têm suas necessidades e direitos, futuramente será esse tipo de comportamento que nossos filhos reproduzirão nas suas relações sociais, na vida afetiva ou profissional.

Os brincos, o tênis sujo, o cabelo longo são apenas sinais externos — nada de essencial. Importante é avaliar que tipo de vida em comum temos com nossos filhos, sejam eles bebês

EDUCAR SEM CULPA

ou jovens. Como nos sentimos e como eles se sentem quando estamos juntos no dia a dia. Aos pais cabe ainda uma avaliação mais profunda: é preciso que nos perguntemos sempre se estamos seguindo (e alcançando) os princípios educacionais que estabelecemos para a educação dos nossos filhos, se os aspectos fundamentais estão ficando claros nas mentes desses seres tão amados por nós e que tanto precisam da nossa segurança e orientação.

CAPÍTULO 3

Sobre a "lei de Gerson" ou de como não ter filho bobão...

☙

Muitas vezes vejo meu filho fazer coisas que considero erradas, mas fico em dúvida em repreendê-lo porque vejo que ninguém faz o mesmo com os seus filhos. Tenho medo de que meu filho se transforme no "bobão", que seja o único a agir corretamente e se torne alvo de "gozações" ou fique "desajustado"...

Esta foi uma das dúvidas mais frequentes dos pais. Por isso, talvez seja a mais importante a ser discutida.

Em primeiro lugar, afirmo que, se em tantas palestras esta mesma pergunta me foi feita, de uma forma ou de outra, é porque, sem dúvida, grande parte dos pais tem o mesmo tipo de preocupação. Felizmente, aliás. E, se todos têm a mesma preocupação, para início de conversa, você não está sozinho nisso, como lhe parece muitas vezes.

O mais importante papel dos pais é o que denomino GÊNESE DA ÉTICA.

Além de atender às necessidades básicas essenciais à vida (fome, sede, sono, segurança e amor), cabe a nós pais, no plano social, transmitir aos nossos filhos um certo grupo de valores, de ideias, de comportamentos que lhes irá permitir, no futuro, a convivência numa sociedade, se não melhor, pelo menos com um mínimo de possibilidade de harmonia.

Vivemos hoje uma crise de valores. Cada dia mais e mais pessoas afirmam e criticam a situação angustiante atual. Cada um pensa só em si, passa por cima dos outros, tenta conseguir o melhor para si, mesmo que seja à custa de outros. Criticamos e criticamos esse estado de coisas. Sentimo-nos sozinhos num mundo selvagem, onde a "lei de Gerson" prevalece e nos entristece. Afirmamos com convicção, para quem nos quiser ouvir, que "nós não, nós somos diferentes, agimos com honestidade e lealdade". Então me pergunto, se tantos dizem isso, se cada um de nós se considera o único ser humano honesto, por que tememos passar estes valores para os seres que mais amamos, que são os nossos filhos? Por que temos medo de que eles sejam os "bobões", para não usar outras expressões bem mais fortes que muitos pais utilizaram nos debates? De que temos medo, ou de quem? Talvez de nós mesmos, de nossas dúvidas mais fundamentais, como: "Será que vale a pena ser honesto?"

Quando digo que é fundamental estabelecermos os padrões que nortearão nossa conduta educacional, a linha que pretendemos seguir, não poderemos jamais esquecer da ética, da moral. O legado moral que passarmos aos nossos filhos poderá, a meu ver, determinar futuramente até mesmo uma mudança de valores na nossa sociedade. Se cada pai em sua casa desenvolver nos seus filhos condutas éticas — pensem! —, multiplicando-se isso pelo número de lares, então teremos muitos e muitos indivíduos preocupados com os seus semelhantes. Se, por outro lado, fantasiamos que só os nossos filhos terão tal tipo de orientação (e, apoiados nessa ideia, não os orientamos), então vamos incentivar a que eles, no futuro, sejam desonestos, não se preocupem com ninguém a não ser consigo próprios. Estaremos, inclusive, selando o nosso próprio destino, porque eles não terão desenvolvido sentimentos positivos nem mesmo em relação aos próprios pais.

Alguns poderão dizer que isso é idealismo ou exagero. Entretanto, se há alguma coisa em que ainda acredito é na

EDUCAR SEM CULPA

capacidade das pessoas individualmente. Se cada pai ou mãe conseguir alcançar este objetivo, o de criar verdadeiros cidadãos, não precisaremos fazer mais nada. Já teremos feito demais.

Conseguir isso não é fácil, muito menos rápido. Primeiro é preciso acreditar realmente na importância desses valores. Se você não pensa assim, também não agirá assim. Pergunto-me sempre se esse medo demonstrado pelos pais não encobrirá, na verdade, uma competitividade pessoal muito grande.

Para ilustrar como os pais perdem oportunidades ímpares de passar valores morais, conto sempre a "história dos brigadeiros".

Qualquer pai ou mãe que se preze, principalmente nas classes mais abastadas, já organizou as famosas festinhas de aniversário. Se não organizou, pelo menos deve ter participado de algumas delas. Esta atividade quase que faz parte da vida de quem tem filhos. O convívio social é ensinado e incentivado desde a mais tenra infância na nossa sociedade. Aliás, estas reuniões vêm assumindo características bem diversas das que possuíam nas gerações passadas. Aniversário, lembro-me bem, significava um bolo confeitado (em geral pela mamãe ou vovó), brigadeiros, docinhos diversos, balões de gás e muitas crianças. Ah, língua de sogra e chapeuzinho na cabeça também... Gradativamente, elas foram ganhando ares importantes e sofisticados. Festinha hoje que se preze tem TEMA. É, isso mesmo: TEMA. A cada novo desenho infantil ou filme que faça sucesso no cinema ou na TV, novos heróis surgem, bem como novos temas para festinhas infantis: recentemente, a sereiazinha, as Tartarugas Ninja, a Família Monstro, a Família Dinossauro, Aladim, dinossauros, um pouco mais atrás, He-Man, Super-Man, Batman sucederam uns aos outros. As mamães quebram a cabeça semanas antes da festa, levantando temas. "Esse não, foi da festa da Joaninha; aquele não, Joãozinho já fez...", até conseguir achar o tema ideal. Depois disso, é colocar mãos à obra e, tendo talento, fazer dos isopores e papéis laminados enfeites que deslumbram os amiguinhos. Ou, então, ir às lojinhas especializadas e comprar tudo pronto. É caro, mas para quem pode vale a pena, são superlindos e dá muito menos trabalho.

Bem, escolhido o tema, temos que pensar na mesa. Sim, porque hoje em dia mesa de aniversário tem que ser tipo "vestido de noiva", com saias e mais saias e, por vezes, com luzes por baixo. Algumas mães alugam caixas em forma de castelos ou parques de diversões, onde as fatias de bolo, previamente cortadas e embrulhadas em papel laminado, são guardadas cuidadosamente até a "hora do parabéns". Também são providenciados "brindes", indispensáveis, a serem distribuídos entre os convidados. São revistinhas, canetinhas, aviõezinhos, porta-moedas ou porta-notas, borrachinhas perfumadas, papel de carta e outras mil coisinhas que as mães saem procurando para poder fazer frente à discreta competição que se foi instalando festa após festa. Bolas coloridas, balões de formatos diferentes, docinhos com o nome do aniversariante escrito em cima... tudo isso faz parte do grande evento em que se transformaram as festinhas. Sem contar os brigadeiros, doce que não pode deixar de existir em hipótese alguma numa festa que se preze.

Bem, agora que está tudo pronto, depois de semanas de preparativos, eis-nos aqui, pais orgulhosos, recebendo os convidados do nosso filhinho. Brincadeiras, mágicos, equipes de recreadores revezam-se para entreter a criançada. Até que, tudo correndo às mil maravilhas, num determinado momento, a dona da casa dá o aviso: "Está na hora de cantar o parabéns!"... Como por encanto, ou num passe de mágica, em menos de minuto, todas, todas as crianças já se encontram em volta da mesa. Até hoje fico meditando: "Como será que elas conseguem?" Sim, porque, de uma forma ou de outra, mesmo que o perímetro da mesa seja suficiente para, digamos, trinta crianças, se estiverem presentes sessenta, elas arrumam um jeito mágico de se alojarem. Todos prontos? Parece que sim, porque se formos olhar bem verificaremos que elas estão meio que em "posição de ataque" ou de "corredores prestes a se lançarem numa corrida" ou, quem sabe, de " nadadores à espera do disparo que dá início à competição"... Apagam-se as luzes, e um coral alegre desentoa feliz a tradicional canção "Parabéns pra você..." Ao final, acendem-se as luzes — o que se vê? Em primeiro lugar, uma mesa reduzida a cinzas em poucos segundos. Enfeites, docinhos e brigadeiros sumiram como por encanto. A mãe do aniversariante, se tiver alugado a caixa para o bolo, deverá ser encontrada abraçada a ela, semideitada sobre a mesa ou ao que dela sobrou. E as crianças? Encontram-se dois grupos: as vencedoras da noite, que, neste momento, estarão com as bochechas estofadas devido ao grande número de brigadeiros que lá estão acondicionados (e não dá para mastigar não, tem que se esperar derreter, tal o "entalamento"...) e nas mãos o célebre copinho descartável para refrigerantes, já totalmente coberto por outros tantos docinhos... "É pro meu irmãozinho, é pra minha prima, ou é pro meu amigo...", explicam (quando explicam). Do outro lado do campo de batalha, encontramos os perdedores da noite, aqueles que nada conseguiram ou apenas conseguiram "pegar" um chicletinho e, com o próprio na boca escancarada, choram abundantemente, agarrados à saia da mãe, dedinhos em riste a apontar os copinhos carregados de doces dos vencedores. Ah, a mãe do infeliz perdedor da noite, por sua vez, encontra-se agarrada à saia da mãe do aniversariante, tentando saber "se não teria sobrado algum brindezinho lá dentro, que é pra ver se acaba com a choradeira do Júnior..." A dona da festa, obviamente, não sabe a quem dar ouvidos primeiro...

Esta é a situação (um pouquinho dramatizada, mas nem tanto...). Mas onde estarão os pais dos vencedores da noite? Não falamos neles ainda... Ah, sim, lá estão eles: olhando insistentemente para o teto, com certeza de costas para a área de atrito ou empenhados numa importantíssima discussão sobre política ou outro assunto qualquer com algum outro pai-de-vencedor-da-noite — num esforço visível para não serem vistos.

E aí é que se chega ao ponto crucial — como podem perder oportunidades como estas de mostrar a seus filhos a importância do amor e respeito ao próximo? Como não E-XI-GIR ou mostrar-lhes que ali, pelo menos em princípio, é um local de confraternização entre amigos e que não há nenhum motivo que justifique em crianças que têm tudo — amor, comida, roupa, assistência emocional, saúde, educação etc. — uma atitude tão individualista, egoísta e antissocial? Esses mesmos "trunfos de guerra" trazidos para casa são jogados fora um ou dois dias depois de ficarem esquecidos num canto da mesa ou da estante do quarto dessas mesmas crianças que lutaram tanto para consegui-los. Em casa, os próprios pais que permitiram essa apropriação indevida são, por vezes, os primeiros a proibir que comam todos os doces que trouxeram porque poderia "dar dor de barriga".

Alguns pais explicam essa atitude com o famoso: "Tenho medo de que ele seja o bobão", ou: "Ah, tantos fazem isso, por que só o meu não vai fazer?". Vários pais afirmaram, com toda a franqueza, que não diziam nada aos filhos quando assim agiam porque "em outras festas eles é que ficaram sem nada e era bom que se compensassem".

O que peço a esses pais é que procurem pensar sobre suas reais motivações. Deixando seus filhos agirem dessa forma, não estarão, na verdade, apenas dando espaço ao próprio sentimento de competitividade? Não estarão deixando aflorar o seu medo do outro? Numa sociedade como a nossa, em que, muitas vezes, cada um vê no outro um inimigo potencial, alguém que pode "passá-lo para trás" a qualquer momento, há realmente a tendência a uma atitude defensiva. Em se tratando dos nossos filhos, a quem amamos tanto, fica ainda mais difícil agir, principalmente quando a nossa ótica é essa do medo do outro ou da competição.

Embora eu saiba que muitas vezes o nosso desejo seja apenas o de proteger nossos pimpolhos, é importante que os pais não percam totalmente a perspectiva de seus próprios medos, deixando-se contaminar por esse sentimento. Em vez disso, tentemos perceber o quanto de bom os nossos filhos têm e, principalmente, QUE TIPO DE FUTURO DESEJAMOS PARA ELES.

Se a resposta a isso for "quero que ele vença, suba na vida, seja o melhor em tudo", tudo bem, não está mais aqui quem falou... Continue a estimulá-lo a pegar não muitos, mas TODOS OS BRIGADEIROS. Assim, no futuro, ele passará a se considerar com direito a tudo, seja no trabalho, nos estudos ou na vida afetiva. No trabalho, já posso imaginá-lo fazendo qualquer coisa para ser, rapidinho, o melhor amigo do chefe ou do diretor da empresa, passando por cima dos outros e, por fim, vencendo — mas estará provavelmente sozinho e talvez seja odiado por todos. Na família, talvez ele se transforme naquele tipo de pessoa que se sente com direito a receber tudo — amor, atenção, carinho — mas nada dá em troca. E, muitas vezes, também acaba sozinho...

O mais amargo é pensar que, para evitar esse tipo de situação, bastaria que os pais, revendo a postura de medo e insegurança, jamais deixassem escapar esses momentos preciosos, agindo prontamente com energia e fé. Para tanto, claro, é preciso que acreditem, como eu, que essa é uma forma eficaz de garantir aos nossos filhos um futuro melhor, numa sociedade de humanos... Pelo menos no que diz respeito à família, teremos cumprido o nosso papel.

Algumas pessoas levantaram a ideia de que esse tipo de atitude seria "acomodação" e não insegurança ou medo, como coloquei. Minha experiência tem me mostrado que não se trata de acomodação, muito embora eu concorde que é muito mais fácil e agradável dizer "sim" para nossos queridos filhotinhos do que dizer "não". Puxa, como é gostoso ver o sorriso e a felicidade deles, em lugar de provocar-lhes o cenho franzido, a tristeza ou o choro... Alguns pais adotam com frequência, dentro das relações familiares, esse papel "do bonzinho", deixando à cara-metade o de "bruxo". Claro, todos desejamos dizer sim, ou "deixar o barco correr", principalmente em situações que nos parecem descompromissadas, como a festinha de aniversário. Mas, na verdade, o peso desses pequenos incidentes do dia a dia talvez seja muito mais substancial em termos da formação das crianças do que outros eventos ocasionais.

Se estivermos atentos, conscientes do nosso papel, e pararmos de olhar o que o nosso vizinho faz, acreditando realmente no que NÓS QUEREMOS para nossos filhos, então saberemos aproveitar essa "hora dos brigadeiros" e muitas outras, não permitindo que nossas crianças, só pelo fato de serem AS NOSSAS, fiquem com vinte brigadeiros, dez balões e outros tantos brindes, enquanto os amiguinhos ficam sem nada, chorando... A competitividade pode ser importante para que se tenha êxito na nossa sociedade, mas é preciso que tenhamos discernimento para avaliar diferentes situações. Afinal, trata-se de uma festa entre amigos, e não da sobrevivência na "selva da cidade"...

Que crianças não tenham equilíbrio ainda para pensar no outro, tudo bem! É até normal em determinadas fases. Mas que os adultos fiquem assistindo impassíveis a esse tipo de coisa é não só injusto com nossos próprios filhos como também uma excelente oportunidade que se perde para começar a trabalhar conceitos éticos importantes, como amizade, solidariedade, respeito ao outro, capacidade de viver em grupo etc., conceitos que não surgem por si sós, mas pelo trabalho árduo e incessante dos pais. Ao nos furtarmos a agir em tais momentos, passamos aos nossos filhos a ideia de aprovação, até porque está realmente havendo aprovação, concordância.

Lembro-me de uma festinha em que a mãe do aniversariante enfeitara toda a mesa com muitos e muitos chicletes dos mais diferentes formatos e sabores. As crianças se atiraram a eles de uma forma tão selvagem, desesperada mesmo, que quem assistisse poderia pensar tratar-se de pequenas vítimas de uma guerra recebendo ajuda alimentar jogada de algum avião. Crianças atracavam-se, empurravam-se, enchiam as mãozinhas e corriam a entregar às mães o que conseguiam. Voltavam à disputa e traziam mais e mais, com a recomendação expressa de que "não deixassem ninguém pegar". E as mães ali, cumprindo obedientemente seu papel de "guarda-costas do tesouro". O mais engraçado é que estas mesmas mães são as que, constantemente, vivem tentando impedir os filhos de comer muitos doces, sobretudo as gomas de mascar, tão contraindicadas pelos dentistas. Assistindo a isso, eu me perguntava o que as teria impedido de se manifestar, quer do ponto de vista educacional, quer do ponto de vista da saúde. Acredito que o que as levava a esta "imobilidade" era o sentimento de insegurança quanto a poder ou não intervir sem tornar-se autoritária, mesclado ao seu próprio nível de competitividade. Isso explicaria a própria pergunta, que já embute esse medo de que o filho se torne um "perdedor" nessa sociedade tão desumana em que vivemos.

Volto a considerar aqui o aspecto perfeitamente compreensível desse medo. Os pais, como sempre coloco, em sua grande maioria desejam o melhor para seus filhos. Muitos erram exatamente por amá-los demasiado, perdendo com isso a isenção necessária a uma análise neutra dos fatos.

Em situações desse tipo, basta — para que corrijamos esse medo e insegurança — que nos lembremos o quanto de bens materiais (no caso doces, chicletes, brigadeiros) nossos filhos já têm. É suficiente que façamos um esforço para lembrar que, em muitas e muitas ocasiões, esses docinhos, chicletes ou mesmo brindes e enfeites pelos quais tanto lutaram, deixando alguns amiguinhos chorando, sem nada, terminam esquecidos e desprezados num canto qualquer do quarto ou de uma gaveta. Dias depois, recolhe-se tudo à lixeira.

Então de que os privamos exatamente? De absolutamente nada! Mas se, ao contrário, concordamos ou até incentivamos a que lutem e tragam tudo o que puderem dessas "guerrinhas", então, sim, estaremos privando-os de ensinamentos valiosos — a necessidade de igualdade, de respeito ao outro, a valorização da amizade. Não tanto pelo discurso que se faça, não!

Ao contrário, é pelo exemplo que estaremos dando, ao não permitir que eles ajam dessa forma. Se nos alienamos, concordamos. Se, mesmo que com carinho — porém firmemente —, interferimos, estaremos mostrando-lhes que os nossos valores são outros, menos individualistas. Este é o melhor ensinamento, o que dá melhores resultados — o nosso exemplo, a nossa forma de viver.

Quanto ao fato de "outros pais" não agirem da mesma forma, sempre repito: se nosso colega de trabalho é relapso, se nossa vizinha rouba, se embebeda ou usa tóxicos, iremos fazê-lo também? Não, respondem todos imediatamente com absoluta certeza. Quando se trata de coisas essenciais, de "pecados capitais", digamos assim, todos concordam que não devem se deixar influenciar, mas nas pequenas coisas acham que não vale a pena "se aborrecer". Na realidade, é no dia a dia que as crianças se formam, que os melhores e piores exemplos são assimilados. Portanto, ou se age por convicção, porque se acredita em alguma coisa, ou então que se assumam as consequências...

CAPÍTULO 4

Pai x Mãe — quem é o "bonzinho"?

☙

*Eu até tento dar limites e educar
meus filhos, mas meu marido
lhes faz todas as vontades. Então,
acabo sempre sendo a "megera", meus
filhos constantemente me acusam
de madrasta e correm a socorrer-se
com o pai...*

*E*sta queixa é muito, muito frequente. Tanto pode advir da mãe queixando-se do pai, como o contrário.

De qualquer modo, o importante a analisar é o porquê desse tipo de dualidade de atitudes, prejudicial à criança, que facilmente detecta quem é o "bonzinho" e quem é o "durão".

Várias são as causas desses comportamentos desencontrados. Uma delas é o fato de que, homem e mulher, quando se conhecem, se amam e decidem ter uma vida em comum, esquecem, no mais das vezes, que há todo um passado de vivências próprias, individuais, de cada um dos cônjuges. Casam-se ou vão viver juntos naquela paixão característica do início de um relacionamento, convencidos de que "nunca existiu um amor igual ao seu"... Quando a convivência começa a mostrar que nem tudo são flores, muitos casamentos terminam...

Imaginem um rapaz, criado numa casa em que predomine a "mamãe clássica", que arruma, lustra, cozinha, passa, faz compras, engoma, leva filho de cá pra lá... Agora imaginem uma moça criada, por exemplo, por uma mulher que trabalha fora o dia inteiro, que sempre ficou em creches com babás. Juntos, iniciam uma vida a dois. Ele, com a imagem de um lar cheio de mordomias, como tivera em solteiro, ela, sem o menor interesse por tarefas domésticas... Que susto quando percebem as expectativas um do outro! Só que somente se descobre isso vivendo junto, e aí, muitas vezes a decepção vai se instalando na proporção direta da expectativa ou da importância que cada um dá a esses elementos.

Imaginemos agora o contrário: ela, uma jovem mulher imbuída do desejo de "cuidar do maridinho, da casa e dos filhos", ele, um jovem acostumado a não se preocupar com o que chama de "essas miudezas da vida"... Imaginou? Um dia, ela se descobre "escravizada", passando cada minuto de seu dia catando as roupas, os livros, os papéis, os jornais, tudo que o queridinho deixa largado por aí. Ele sentindo-se completamente sufocado pela forma como "suas coisas" somem misteriosamente do local onde foram deixadas...

Um dia, o casal engravida... Que maravilha! É tudo que eles mais queriam... Já podem ver o rechonchudo bebê, sorridente, se espreguiçando no bercinho... Sonham, sonham, e sonham... Fazem planos: como será a decoração do quarto, quantas serão as pecinhas do enxoval, que nome darão ao fofinho ou fofinha, quem serão os padrinhos etc. Mas qual de vocês já viu um casal sentar para discutir ou planejar qual a educação que dará ao bebê? Então, o bebê nasce. E começa a chorar sem parar, a dar um trabalhão incessante vinte e quatro horas por dia. Os pais se entreolham e perguntam: "O que fazer?" "Dar colo ou não dar colo?" "Dar o seio sempre que o bebê chora ou somente de três em três horas?" "Ninar ou não ninar para dormir?"... Mil perguntas surgem, atropelando-se umas às outras. Afinal, as necessidades do bebê não esperam que os pais resolvam um impasse para só então criar outro (aliás, seria tão tranquilo se assim fosse...). Pior que tudo: no meio da confusão e das dúvidas que o assaltam, você descobre que sua cara-metade pensa exatamente o oposto de você em tudo ou quase tudo que se apresenta... O que fazer? Se ainda é um casal que conversa (coisa que não é tão comum quanto possa parecer), há grandes chances de que tudo se resolva bem. Acontece que nem sempre os casais são assim. Além disso, o advento de um bebê, de um PRIMEIRO bebê nas nossas vidas, é um fato a um tempo enternecedor, maravilhoso, divino, mas também extremamente cansativo, restritivo e amedrontador. Em geral, nos primeiros meses, os pais vivem "caindo pelas tabelas", loucos pelos momentos em que o bebê adormece para lhes dar um momento pessoal, ao mesmo tempo em que se sentem atormentados pelo medo de errar, de causar algum mal ao frágil serzinho... Além disso, é preciso todo um esforço para entender que aquele nenê magrinho, rabugento e chorador é realmente o SEU bebê, diferente daquele idealizado nos seus sonhos: lindo, gorducho, mamando calmamente nos seios "pejados" de leite, e que afinal adormece de puro cansaço e satisfação. Em vez disso, você descobre que o seu bebê parece não reconhecer o seu seio!!! Você vê aquele pequerrucho de cabelos arrepiados, carinha vermelha e chorão, magrinho, mal conseguindo encontrar o bico do seu seio, o qual, por vezes, parece sufocá-lo. Ele não mama calmamente como em seus devaneios: ao contrário, por vezes parece brigar com o seio, em outras cansa e adormece, depois acorda, chora, e você tenta, mas aí ele dá uma golfada azeda e você precisa trocá-lo. Depois ele faz cocô e você não sabe se amamenta ou troca a fralda primeiro... Algumas vezes, ele chora e você corre a oferecer-lhe o seio, mas ele parece que fica aborrecido com o seu oferecimento e chora, chora até ficar sem ar... Outras vezes, gruda-se ao bico vorazmente, nervosamente, mas, ao final de dois ou três minutos, adormece. Você então o devolve ao lindo cestinho cheio de rendas que comprou com todo amor, exatamente conforme os seus sonhos, mas em quinze minutos você já ouve o conhecido choramingar que lhe indica que tudo vai recomeçar...

No meio dessa sua insegurança há também a do pai, que tem que entender a nova correlação de forças no relacionamento do casal. A esposa está sempre cansada, sonolenta, o bebê é exigente. Chegar à noite em casa não é mais como antes, quando ela o esperava arrumada, linda e amorosa. Agora, a primeira coisa que encontra à porta é "ninguém a esperá-lo". Depois, todos estão permanentemente "fazendo alguma coisa pelo bebê". Assim, tudo tem que ser repensado. Muitos ficam loucamente enciumados e, por conseguinte, culpados por esse sentimento que, mesmo assim, se faz presente. Quando por fim cessam as atividades do dia, sua mulher literalmente "desmaia" a seu lado para "aproveitar" a folguinha entre uma e outra mamada. Alguns ficam amuados por terem perdido seu lugar de honra na vida da esposa. Outros acham incompreensível uma mulher ficar "tão esgotada tendo APENAS ficado em casa o dia todo, com uma empregada, às vezes a mãe para ajudar e mais nada a fazer senão cuidar daquela coisinha minúscula". Será que dá mesmo tanto trabalho? Não será exagero? Assim, se não há o hábito do diálogo entre o casal, as coisas não ditas e não discutidas conjuntamente vão sendo "empurradas" para o fundo do coração, onde começam a azedar as relações. Esse é apenas um dos aspectos do problema: o da necessidade de o casal conversar plenamente sobre tudo que sente.

Além disso, como mencionei, há a história de cada um, ou seja, a forma pela qual viveram toda uma vida. A tendência das pessoas é repetir modelos. Então, se você gosta de uma vida organizada e seu marido não, há uma forte possibilidade de aí surgirem conflitos. Por outro lado, cada um pode ter ideias diferentes em relação ao que seja educar um filho. Provavelmente, muito influenciados pela vida pregressa, cada um terá uma forma de pensar a respeito. Ou de não pensar. Algumas pessoas simplesmente nunca pensaram sobre o assunto.

Você então busca no companheiro o apoio, o ombro amigo, e descobre que ele não concorda com nada do que você pensa ou diz... Aí se desentendem e discutem. Pouco a pouco, um ressentimento vai ficando lá por dentro, e aos poucos vocês vão deixando de conversar a respeito do que fazer. Cada um vai fazendo do seu jeito, do modo que acha o melhor, esquecendo-se porém de que são os dois os responsáveis pelo pinguinho de gente que dorme profundamente lá no quarto, depois de horas e horas de choradeira — exatamente agora que são seis da manhã e você tem de levantar...

É, a vida a dois é bastante complexa. Quando duas pessoas tomam a si a tarefa de educar, é muito importante que troquem ideias. Não como uma conferência, didaticamente organizada, com pauta de reunião e tudo. Simplesmente à medida que as coisas começam a acontecer, elas devem ser discutidas, e uma decisão conjunta sobre como enfrentar cada situação ou problema deve ser tomada pelo casal. Conversar, trocar ideias, falar das próprias dúvidas, ouvir. Não apenas o marido, mas quem sabe também alguns amigos com os quais "combinem" mais? Essa troca é muito gratificante; primeiro porque nos mostra que todos têm mais ou menos as mesmas dificuldades, e segundo porque a discussão propicia a que se formem com mais segurança opiniões, já que ângulos diversos podem então ser abordados.

Na família, cada pessoa assume um papel específico. Pelo passado que teve e por suas próprias características pessoais, alguns são mais engraçados, outros, mais sérios; alguns, mais organizados, outros, bagunceiros; uns, colaboradores, outros, sempre tentando fazer o mínimo possível; uns detestam desavenças, outros "nem esquentam". Do mesmo modo, os pais tendem a ter papéis mais ou menos determinados, de acordo com esse passado e com seu próprio temperamento. O que não pode acontecer é pai ou mãe "usarem" propositadamente um tipo de papel para ganhar uma posição mais cômoda ou mais confortável junto à criança. Pode parecer a alguns despropositado, mas existem realmente pais que criam sérios dilemas para a criança, em que ela se vê dividida frente à mãe ou ao pai, que lhe exigem ou cobram comportamentos opostos.

Mesmo tendo opiniões diversas, o importante é que os pais estejam atentos para seus OBJETIVOS. Não é o bem-estar de nossos filhos que está em jogo? POR ISSO, TEMOS, PRECISAMOS, NECESSITAMOS chegar a um acordo.

Muitos pais colocaram para mim nos debates o problema, superatual, dos pais separados. Na maioria dos casos, as crianças permanecem com a mãe. O pai vira "companhia para alguns fins de semana" e, então, decide que nesses poucos momentos em que estão juntos não "é hora para brigar" com os filhos. Acontece que, infelizmente, muitas e muitas são as vezes em que TEMOS DE "BRIGAR". Brigar muitas vezes é educar. Embora nos manuais sobre educação se tenha a impressão de que, usando a psicologia, todas as crianças tornam-se, como que por encanto, dóceis e cordatas, essa não é a pura verdade. Porque, em geral, as coisas que os pais têm que dizer para os filhos são justamente o oposto do que eles desejam fazer. Senão vejamos: temos que dizer para nossos filhos levantarem na hora certa quando eles, na verdade, estão loucos de sono e sem vontade de ir à escola; temos que evitar que comam doces e biscoitos o dia todo e tentamos impingir-lhes saudáveis refeições com fibras, proteínas e legumes, que eles na maioria das vezes detestam; temos que mandá-los desligar a TV porque o filme é totalmente inadequado para eles, mas tão sublimemente interessante; temos que levá-los ao médico ou às compras, quando eles quereriam ficar brincando no quarto ou no *play*, temos... ah, tanta coisa que temos... como é mais fácil dizer sim, deixar fazer tudo o que quiserem... e também muito mais agradável! Não tenho a menor dúvida. Sim, porque pensando desse ângulo, nossos filhos devem, com certeza, em muitos momentos (felizmente não em todos), nos achar CHATOS, MUITO CHATOS. É duro saber que eles nos veem assim. Tão melhor ser o "bonzinho", o "legal", o "chapa"...

MAS QUEREMOS EDUCAR OS NOSSOS FILHOS, NÃO APENAS AGRADÁ-LOS. POR ISSO É TÃO DIFÍCIL SER PAI. PORQUE TEMOS QUE FAZER O QUE É NECESSÁRIO, E NÃO OBRIGATORIAMENTE O QUE GOSTARÍAMOS.

O pai que se separou e tem, em maior ou menor grau, certo sentimento de culpa por ter "falhado" (o que se passa no coração dos pais não é necessariamente o que eles pensam racionalmente, mas o que eles sentem) acaba "afrouxando" por completo nesses encontros ocasionais com o filho. Quando ele volta para a casa da mãe (ou vice-versa, embora mais raro), ela se escabela, porque todo um trabalho foi comprometido. Os filhos acusam-na de "má", "chata", "quadrada", ou dizem: "papai é que é legal!", "assim que puder vou morar com ele". O essencial é que esses pais ou mães que assumem o papel dos "bonzinhos" saibam que, com essa atitude, embora mais cômoda, mais fácil e que é, em alguns casos, até uma forma sutil de "vingança" contra a ex-mulher (ou ex-marido), implica prejuízo, antes de mais nada, às próprias crianças, os seus filhos.

Qualquer que seja o caso — separação, vida pregressa ou experiências pessoais diferentes —, não importa. Ao se conscientizarem do prejuízo emocional e educacional que estão trazendo para os filhos com essa dualidade de atitudes, acredito que começarão a conversar. Após algum tempo, por maiores que sejam as divergências, haverá alguma chance de encontrarem pontos em comum, e poderá surgir alguma decisão equilibrada, pelo bem dos filhos. Porque, em primeira instância, tudo o que deve ser considerado é o bem-estar dos filhos, o seu futuro, e isso, tenho certeza, é tão somente o que todos os pais desejam do fundo do coração.

As divergências e os modos de pensar diversos são naturais, mas o acordo, o acerto pelo bem dos filhos é o que deve sempre prevalecer, por mais que, em alguns momentos, isso nos pareça difícil ou até impossível.

CAPÍTULO 5

Quando dizer não?

&

*Existe um momento certo em
que o pai ou a mãe tem uma "pista"
de que é o momento do "não"?*

Certo e errado são termos muito definitivos, que encerram uma visão maniqueísta do mundo. O que é certo para uns pode não o ser para outros e vice-versa. Entretanto, sem que se percam de vista estas variações pessoais, parece-me que existem algumas coisas em que a maioria, se não todas as pessoas, está de acordo. Creio que todos concordamos em muitos casos sobre o que é certo ou errado, o que é ou não educado, polido, sobre o que deve ou não ser ensinado aos filhos.

Alguns exemplos que me ocorrem de imediato:

— salvo em situações de emergência ou de urgência, uma pessoa interromper rotineiramente outras que conversam, pessoalmente ou ao telefone;

— sentar-se no único lugar disponível, deixando um senhor de idade de pé numa festa, numa viagem ou numa reunião;

— servir-se à mesa de qualquer alimento apresentado, separando para si vários pedaços, sem se preocupar se as outras pessoas, ainda não servidas, terão também possibilidade de comer alguma porção;

— tentar passar à frente ou "furar" filas em parques de diversões, cinemas, teatros;

-— usar meios fraudulentos para conseguir o que deseja, como bons resultados numa prova, ascensão na carreira, promoção pessoal etc.;

— mexer na bolsa ou em objetos de outras pessoas;

— usar objetos, roupas ou quaisquer outras coisas de uma pessoa sem lhe pedir consentimento;

— viver de acordo com a famosa "lei de Gerson", ou seja, tentar tirar para si vantagem de todas as situações, em detrimento dos demais;

— entrar em cinemas ou teatros falando alto, perturbando os demais;

— ver cair a carteira de uma pessoa no chão e não avisar ou pegar para devolver.

Poderia listar muitos e muitos outros. Vale a pena analisar alguns aspectos:

É fácil perceber que nos exemplos acima temos alguns menos graves e outros que, imediatamente, consideramos mais graves. Ultimamente há uma grande permissividade por parte dos pais no que diz respeito às faltas menos graves, como a primeira e a segunda. Como se estas, por serem pequenas, não carecessem de atenção, não tivessem significado e consequências. Muitos são os pais que dizem: "Mas ele ainda é pequeno, não entende." Estão se referindo a crianças de seis, sete, dez anos. Não, não são absolutamente pequenas. Explico: é a partir dessas pequenas coisas, desses pequenos atos de civilidade que inculcamos nos nossos filhos que eles começam a aprender a respeitar o espaço do outro, o direito do outro, o OUTRO, enfim. Começam a ver o outro como seu semelhante com os mesmos direitos que ele. Porque se formos pensar um pouquinho, veremos que tudo que faz com que a vida seja mais gostosa e prazerosa está ligado aos pequenos atos do dia a dia, pelo respeito que damos ao outro e que nos faz sentir GENTE.

O exemplo que citei de "furar" filas eu o enfrentei vezes sem conta ao ir ao Playland do BarraShopping, no Rio de Janeiro. E, para meu grande desgosto, verifiquei que muitas vezes eram os próprios pais que incentivavam os filhos a "serem espertinhos", passando outros para trás, conseguindo assim ir mais uma ou duas vezes no brinquedo, enquanto os que civilizadamente esperavam sua vez assistiam revoltados ao que ocorria. Algumas vezes saía briga, mas muitas vezes as outras pessoas simplesmente resignavam-se a esperar mais, apenas demonstrando sua desaprovação por meio de expressões faciais de desânimo ou reprovação. Porque não é nada agradável você sair num domingo, planejando divertir-se descontraidamente com seus filhos, e ter que brigar a cada momento. Por isso, muitas vezes desistimos de lutar contra esse tipo de pessoas.

O pior de tudo é que esses pais nem por um momento pensam no exemplo terrível que estão dando aos filhos. E são muitas vezes essas mesmas pessoas que reclamam e se revoltam com as coisas que acontecem no Brasil e no mundo, que combatem a corrupção e a competição exageradas, a "lei de Gerson" e outras mais, sem perceber que eles próprios, no momento em que incentivam os filhos a furarem as filas, estão ensinando e consentindo que eles, amanhã, façam parte desses mesmos grupos que hoje condenam.

Portanto, quando me perguntam se existe um momento certo para dizer "não", minha tendência é responder que existe sim: sempre que percebermos que nossos filhos ainda não interiorizaram certas normas de convívio social que revelam a apreensão dos conceitos de civilidade, respeito ao próximo, honestidade. Isso nos traz como consequência a percepção de que esses momentos serão muitos, ocorrerão muitas vezes a cada dia. Porque se pensarmos que todos esses comportamentos são convenções sociais, que variam inclusive de sociedade para sociedade, poderemos entender que nossas queridas crianças não vêm ao mundo com esse saber, que é um saber adquirido, uma aprendizagem social. E que nós, pais, somos os principais responsáveis por ensinar-lhes esse tipo de atitudes.

Além disso, é preciso considerar ainda que a criança é hedonista por natureza, isto é, ela busca espontaneamente aquilo que lhe dá prazer, que satisfaz seus desejos, curiosidade, necessidades. Sendo assim, dificilmente ela pensará, por si só, no outro, mesmo porque ela ainda não tem essa capacidade de sentir COM O OUTRO (EMPATIA). Toda criança (e mesmo o jovem) é naturalmente egocêntrica, sendo incapaz de pensar ou SENTIR PELO OUTRO. Os pais têm que, pouco a pouco, mostrar-lhes essa realidade: que as outras pessoas também têm sentimentos, necessidades, direitos. E isso, meus amigos, nós que somos pais sabemos como ninguém como é DURO DE SER ENSINADO. Claro, a criança quer sentar na melhor poltrona e você quer que ela ceda o lugar para a vovó; a criança quer comer todos os bombons que estão no pratinho, você tem que ensinar-lhe que deve comer um ou dois e deixar que as visitas se sirvam dos demais. Ela olha para você que tanto a ama com tristeza, seu coração tende a "deixar tudo para lá" para vê-la feliz, mas você sabe que não deve, que a sua responsabilidade é ENSINAR O CERTO. Isso se repete mil vezes ao dia, em mil situações semelhantes. Como é desgastante! Mas nós sabemos o que é o correto, de modo que temos que fazer "das tripas coração" e continuar com o papel de educadores, sem esmorecer.

EDUCAR SEM CULPA

Quem vive a criticar os pais certamente o faz porque nunca teve um filho para criar e educar com todo o amor que isso envolve e, consequentemente, com toda a dificuldade que requer... Posso ENTENDER (NÃO ACEITAR) a atitude de alguns pais que acabam acomodadamente cedendo a tudo que os filhos querem. A luta é tão desgastante e cansativa que, se os pais não tiverem muita clareza sobre o quanto são importantes esses ensinamentos, fatalmente acabam se convencendo de que não vale a pena discutir tanto, repetir tanto e sempre... Por isso é fundamental que saibamos que são essas pequenas e aparentemente insignificantes regrinhas sociais que dão a base para o futuro. Dizer um simples bom-dia hoje parece ser uma arte esquecida. Frequentemente, quando vêm amiguinhos dos meus filhos aqui em casa e vão entrando direto para o quarto, passando por mim como se passa por uma mesa ou um tapete, sem cumprimentar, percebo como esses detalhes têm passado despercebidos pelos pais (não todos evidentemente). São as pequenas coisas que fazem a base das grandes. Se não educamos nossos filhos para as pequenas coisas não os educaremos para as essenciais.

As pequenas gentilezas não são na realidade apenas gentilezas: são indícios do respeito pelo outro, da percepção de sua existência.

A esse propósito, lembro-me de uma situação particularmente engraçada que ilustra o quanto esses fatos são, hoje em dia, comuns. Quer dizer, engraçada hoje, relembrando, porque na hora me incomodou bastante:

Meu marido, meu filho caçula e eu viajamos, certa vez, em excursão de férias com um grupo, cuja composição era de vinte e um adultos e vinte e três crianças (a maioria adolescentes entre treze e quinze anos). A viagem foi de avião, e já aí fiquei

65

imensamente surpreendida quando os jovens iniciaram uma guerra de comida com o lanche que nos foi servido. Voaram torradinhas, potinhos de manteiga (fechados, graças a Deus). De surpresa passei a preocupada, porque, para nosso azar, sentáramos bem próximos às "poltronas em guerra", o que nos colocava como alvos fáceis. E onde estavam os pais dessas crianças, pensava eu, angustiada? Fui descobrir que "providencialmente" eles estavam acomodados umas cinco ou seis fileiras mais atrás. Dessa forma, deixaram seus pimpolhos fazendo o que bem entendessem enquanto curtiam um vinhozinho e a viagem. Os outros... ah, eram APENAS OS OUTROS...

Mas isso foi somente o começo, porque durante a excursão os episódios se sucederam. Quando havia algum passeio e vinha um ônibus nos buscar à porta do hotel, por mais que alguns adultos tentassem organizar uma fila por ordem de chegada, quando o ônibus parava para recolher os passageiros, éramos invariavelmente atropelados pela horda que vinha aos gritos e correrias, literalmente sem enxergar ninguém à sua frente. E havia inclusive entre nós pessoas de bastante idade, passando dos sessenta. Prudentemente (e em opção), todos saíam da frente, e então, quando os jovens já haviam se instalado de acordo com sua preferência, nós nos instalávamos nas poltronas que haviam sobrado. Havia uma mocinha (tinha doze anos, mas aparentava quinze) que estava tão enlevada com os passeios e com os novos amiguinhos que literalmente nunca chegou a perceber a existência dos adultos do grupo. Só tinha olhos para os colegas, de modo que, com uma frequência desesperadora, pisava nos pés ou esbarrava nos outros. O mais engraçado é que, por várias vezes, ela "estacionou" EM CIMA dos meus dedinhos do pé, com seus potentes tênis superacolchoados. Interessante é que ela jamais chegou a perceber que

EDUCAR SEM CULPA

me pisava ou que estava parada sobre os meus pés. Era sempre necessário que eu a avisasse, para que então, e só então, ela saísse de sobre os meus recém-adquiridos calos... Ela não estava sozinha na viagem: viera com os avós, que complacentemente nada faziam a respeito. Na verdade, estavam tão empenhados em seu próprio prazer que, creio, nem percebiam (ou não queriam?) o quanto a netinha se tornara inconveniente.

Será isso moderno? É esse o novo conceito de educação que queremos deixar para os nossos filhos e netos?

Pelo contrário. Não seriam esses alguns dos momentos em que se deveria dizer "não"? Mostrar à menina que ela podia e devia divertir-se, porém não necessariamente à custa do desprazer dos outros? Na verdade, com doze anos, já ela deveria ter a consciência dos direitos mínimos dos outros. Quanto mais tarde começamos, maiores são as dificuldades. O dito popular "é de pequenino que se torce o pepino" é bem verdadeiro para nós, pais.

O momento certo, a "pista" para os pais dizerem "não" a determinados comportamentos, é exatamente aquele em que a criança, pela sua própria condição, demonstra não ver, não sentir, não perceber certas regras. Nós, no nosso papel de adultos, devemos, com paciência, determinação e uma grande capacidade de repetir a mesma coisa tantas vezes quantas forem necessárias, fazê-los começar a, paulatinamente, lembrar e perceber esse tipo de situação. Não é fácil? Certamente que não. É cansativo? Certamente que sim. Vale a pena? Com toda a certeza, SIM. VALE MUITO A PENA. Mesmo quando encontrarmos outros pais que não interferem, que não ensinam nem mostram essas coisas aos seus filhos, não lhes sigamos o exemplo. Afinal, estamos ou não agindo pela convicção daquilo em que acreditamos? Não podemos, portanto, deixar que isso nos faça desistir dos nossos propósitos. Antes, esperemos que eles se mirem no nosso modo de agir. É que, muitas vezes, vendo a inércia de certos pais, a forma passiva com que se situam frente à educação dos filhos, muitos são os que começam a questionar se devem realmente continuar exigindo, ensinando, educando de acordo com esses princípios do respeito, da ética. Afinal, pensam eles, SÓ EU?

Por quê, para quê? Muitos pais me perguntaram sobre isso nos nossos encontros. Por que só eu devo continuar lutando? Não estarei sendo muito rígido, não estarei criando meu filho de forma que, no futuro, ele se sinta "um peixe fora d'água"? Certamente que não. Simplesmente porque nós ACREDITAMOS NO QUE ESTAMOS FAZENDO, porque queremos uma sociedade mais humanizada, porque não queremos que se acirre, ainda mais, o ambiente competitivo em que vivemos, porque...

...QUEREMOS ACREDITAR SER POSSÍVEL A NOSSA UTOPIA — A DE UM MUNDO COM PESSOAS MELHORES, MAIS AMIGAS, MAIS GENTE.

CAPÍTULO 6

Com medo de ser "mau", ou sobre o poder da crítica alheia

 C3

Às vezes, em determinadas situações,
quero negar alguma coisa ao meu filho, mas
logo aparece uma amiga ou parente que
me critica, dizendo que "eu sou uma tirana",
"coitadinho do menino" etc. Acabo inibida e
me sentindo a "madrasta da Branca de Neve".
Em suma, sou uma em casa e outra,
muito mais permissiva, na rua...

Mais uma vez, vemos como é importante ter segurança, metas educacionais, clareza de objetivos, de forma a que possamos nos abster da influência de certo tipo de críticas ou comentários que nos machucam.

Os nossos valores, o nosso código de ética é que devem orientar a ação junto aos nossos filhos. Se você acha que seu filho agiu errado, converse com ele, mostre-lhe o caminho ou faça-o pensar sobre a atitude tomada.

Apesar de essa questão conjuminar-se à anterior, achei interessante incluí-la por dois motivos. Primeiro, pela frequência com que me foi feita, o que a torna valiosa, já que é uma dúvida, uma interrogação legítima dos pais. Segundo, porque há um outro aspecto a considerar que julgo importante.

Além de todas as dificuldades que os pais têm de enfrentar ao educar seus filhos, tais como a exaustiva repetição, a incessante obstinação dos filhos em atender à orientação dada, as nossas próprias inseguranças e culpas (características dessa geração como demonstrei na pesquisa de *Sem padecer no paraíso*), as dificuldades e falta de infraestrutura da vida moderna, a dupla jornada de trabalho das mães, a influência nem sempre saudável dos meios de comunicação de massa, especialmente a televisão — além disso tudo, os pais têm, muitas vezes, que se haver realmente com as críticas (nem sempre construtivas) de outras pessoas.

O grande problema da geração atual de pais, como temos visto, é a insegurança e a culpa. Sentimentos que hoje se tornaram presentes de maneira inequívoca e, por vezes, avassaladora.

Imaginemos uma jovem mãe com todas essas características: insegura, culpada, com o desejo expresso de não repetir o modelo autoritário da geração passada. Essa mãe, apesar de tudo, deseja educar seu filho e, ao perceber uma atitude inadequada da criança, parte para a ação. Vejamos um exemplo concreto: estão reunidas numa pracinha ou num *playground* a mãe, duas ou três amigas, todas com seus filhos, os quais estão brincando, digamos, com carrinhos, joguinhos e bicicletas. Um outro menino, aproximando-se do grupinho de crianças, pega a bicicleta de um deles e sai passeando. O dono imediatamente agride o "invasor", dando-lhe um empurrão, que o derruba. A mãe, atenta e preocupada com a reação destemperada do filho, interfere, dizendo ao menino que ele agiu errado, que não deveria ter empurrado o outro, que poderia tê-lo machucado etc. O filho protesta: "Mas ele não me pediu e ele não é meu amigo..." A mãe argumenta que ele deveria ter conversado primeiro, explicado que não queria emprestar ou qualquer coisa do gênero. Afinal, não desejamos a violência como argumento, certo? O menino, embora a contragosto, está para aceitar as ponderações da mamãe. Instala-se uma espécie de "suspense", a próxima ação a ser desencadeada provavelmente sanará o conflito... Mas eis que as outras mães presentes interferem dizendo que o menino tinha razão, que não deve-

EDUCAR SEM CULPA

ria obrigá-lo a emprestar (embora ela não o estivesse obrigando, mas ensinando-o a usar a palavra antes da agressão), que o menino assim não vai aprender a "se defender" etc. Obviamente, incentivado dessa forma, o menino reafirma sua posição e toma sumariamente a bicicleta do outro. O que acontece então no íntimo dessa jovem mamãe, já que ela faz parte dessa geração que teme, antes de tudo, repetir o modelo autoritário de seus pais, sentir-se antiquada ou "não moderna", que está insegura quanto ao que pode ou não pode negar aos filhos, se deve ou não estabelecer limites? Imediatamente — e é normal que assim suceda — ela se cala, pressionada pelas palavras "tão seguras" das outras mães.

O medo que todo ser humano, em maior ou menor grau, tem da opinião do grupo a que pertence, o desejo de aprovação, de estar integrado a um modelo aceito por todos, ainda que externamente apenas, aliado à insegurança sobre o que é "certo" e "errado" em educação hoje a leva a retrair-se. E a criança, percebendo a indecisão que toma conta da mamãe naquele momento, reafirma imediatamente sua atitude anterior.

Vencer essa dificuldade não é fácil, realmente não é nada fácil. Para isso, é preciso, em primeiro lugar, ter muita CERTEZA de que a SUA É A ATITUDE EDUCATIVA. Então, se não se tem essa certeza, qualquer crítica ou mesmo insinuação já é suficiente para desestruturar ou inibir o comportamento.

Adquirir segurança do que se quer na educação dos nossos filhos é, por mais difícil que pareça, a chave para termos sucesso. Trabalhar em harmonia de propósitos com nosso marido ou esposa é também uma fonte preciosa de segurança para os pais de hoje. Um apoiando o outro, um dando sustentação às atitudes do outro. As divergências devem ser resolvidas particularmente, LONGE DA PRESENÇA DAS CRIANÇAS.

As decisões, tomadas em conjunto, e uma vez tomadas, devem ser seguidas com firmeza e determinação, INDEPENDENTEMENTE DA OPINIÃO E DAS CRÍTICAS DOS OUTROS (essa talvez seja a parte mais difícil, porque sempre queremos estar bem com os outros, ser bem-vistos e bem-aceitos no nosso grupo social). Isso é válido para amigos, parentes, vovós excessivamente corujas e permissivas ou pessoas que vivem querendo nos criticar...

A parte mais complexa, sem dúvida, é conseguir manter-se alheio às críticas. Não estou sugerindo, evidentemente, que nunca se leve em consideração o que nossos amigos, vizinhos ou parentes nos apresentam — muitas vezes, através das colocações de terceiros, muito progresso se alcança. O que pretendo é reavivar a confiança dos pais em suas decisões, desde que, claro, elas sejam decisões realmente educativas, pensadas e decididas. Rever nossa posição é importante, quando julgamos que as críticas que nos dirigem têm razão de ser. Nunca pelo medo de ser diferente, de não ser mais amado, apreciado pelo grupo, de não ser moderno.

INFELIZMENTE, MUITAS SÃO AS PESSOAS QUE NOS CRITICAM SIMPLESMENTE PORQUE INVEJAM A NOSSA CAPACIDADE DE FAZER O QUE ELAS NÃO CONSEGUEM: estão apenas tentando curar suas próprias inseguranças através da crítica, no caso nada construtiva. Infelizmente, repito, nem todas as pessoas agem movidas pelas melhores intenções, muito embora, no mais das vezes, iniciem seu discurso afirmando exatamente isso...

Nós somos os pais dos nossos filhos e, através do nosso amor e do nosso desejo de lhes dar o melhor, devemos tomar as nossas decisões. E, sendo assim, as decisões oriundas desse tipo de reflexão e de certeza nos permitirão levar a cabo nossas metas.

EDUCAR SEM CULPA

Quando meu filho mais velho tinha três anos, certa vez, num supermercado, pegou um saco imenso de pastilhas de chocolate. Era realmente um saco imenso, desses da seção de atacado, próprio para ser adquirido, no mínimo, pelo dono de uma *bombonnière*. Todo feliz, exultante mesmo, o tiquinho de gente me aparece literalmente abraçado ao saco, que era quase a metade dele. Comecei a rir ao ver o esforço que fazia para segurar o "saco-monstro" e, delicadamente, mostrei-lhe um outro, tamanho normal, na prateleira acima. Ofereci-lhe este outro, dizendo-lhe que ele recolocasse o grande no lugar, que aquele nós não poderíamos levar, que era muito caro, dava dor de barriga etc. e tal. Começara a "sessão-barganha": eu tentando levar o menor e ele insistindo veementemente no maior. Claro, ele achava que estava sendo, no mínimo, enganado. Bobo ele não era, dizia-me seu olhar consternado e ofendido. Ofendidíssimo. Imaginem, querer que ele devolvesse aquele monte de balas supercoloridas em troca daquele saquinho mínimo... Jamais! Estávamos nesse impasse. Eu usando toda a psicologia, ele enfrentando, com toda a resolução de que era capaz, o que julgava um direito seu. Ficamos nisso bem uns cinco minutos, até que, esgotando todos os recursos e argumentos do diálogo, retirei com delicadeza, porém com firmeza, o saco gigante de suas mãozinhas rechonchudas e recoloquei-o na prateleira, enquanto lhe entregava o outro, falando com carinho: "Muita bala faz mal, dá dorzinha de barriga, furinho nos dentes..." Antes que eu pudesse acabar de exercer minha perfeita psicologia infantil, ele, surpreendendo-me, soltou-se do meu braço, agarrou o sacão, jogando o outro ao chão, ao mesmo tempo em que começava a ter um "piti" duro (como dizem os médicos referindo-se a certos casos de histeria): estirou-se ao chão, "duro como um pau", gritando e gritando.

75

Nunca vi boca tão grande... Quando dei por mim do espanto, estava eu cercada de pessoas, clientes, vendedoras, crianças, todos assistindo ao espetáculo e, silenciosamente, lançando-me aqueles olhares de reprovação que me diziam "que mãe sem paciência, tadinho do menino, vejam só, que será que ela fez com ele?" Sem mais nem menos, estavam todos esperando minha reação, minha atitude, já antecipadamente criticando "essas mães castradoras" (ah, Freud!). E eu, que jamais apreciei ser o centro de atenções, comecei a sentir-me estranhamente culpada não sabia exatamente de quê, mas culpada, sem graça, como se tivesse, no mínimo, espancado gravemente meu filho, ou cometido alguma injustiça. Debilmente, tentei levantá-lo do chão, mas a cada aproximação ele aumentava o choro. Com gotas de suor escorrendo pelo rosto, olhei pelo canto dos olhos o grupo que nos cercava. Que situação! "Bem", pensei, "EU ESTOU CERTA. Tenho certeza. Levar tanta bala é um absurdo. O que fazer?" Decidi que não alimentaria tal disparate. Com suavidade, mas com um timbre que o fez compreender que o "diálogo" terminara, falei: "Bem, estou indo embora. Se quiser ficar, fique. Eu vou para casa, tchau!" Com o coração apertado, e o peso do olhar reprovativo das pessoas às minhas costas, virei-me lentamente e, mais lentamente ainda, fui empurrando o carrinho em direção aos caixas. É óbvio, espiava com o canto dos olhos, de forma a que ele não percebesse, mas agi como o assunto nunca tivesse existido. Ainda dei uma paradinha providencial em duas ou três seções, a fim de lhe dar tempo de refazer-se, recompor-se, refletir enfim. Sempre olhando-o sem que ele percebesse, rezando para que ele entendesse que eu não cederia, rezando para que as pessoas se dispersassem, de súbito vi meu pequeno levantar do chão, esfregar os olhos, limpar o nariz com as costas do bracinho e, poucos segundos depois, postar-se a meu lado, ainda carrancudo, mas segurando o pequeno saco de pastilhas que eu lhe permitira comprar. Ufa! Não disse que ele não era bobo?

Só quem já vivenciou essas situações de teimosia pode avaliar como é difícil não perder as estribeiras, principalmente quando elas acontecem em público e pessoas que talvez nunca tenham criado um filho começam a pressionar, a dar palpites, a olhar, julgar e criticar, como se fosse fácil convencer uma criança de alguma coisa... Principalmente porque, a bem da verdade, nós quase sempre temos de convencê-las de coisas que, pelo menos de imediato, são muito piores ou mais "chatas" do que as que elas desejam fazer: levar um saquinho de balas em vez de um saco enorme, por exemplo...

Mas, voltando ao que me perguntou a jovem mamãe, fico pensando: se para mim aquele momento foi difícil devido, principalmente, à pressão do grupo que assistia e tomava partido, embora eu tivesse CERTEZA do que estava fazendo, como não será para aqueles que não estão seguros?

É, fica complicado. Portanto, vamos definir para nós mesmos como queremos educar nossos filhos. Lógico, muitas questões só serão resolvidas e pensadas quando surgirem. Mas muita coisa pode ser antecipada, com base numa ética, num conjunto de valores que sabemos que queremos transmitir e preservar para nossos filhos e para a sociedade como um todo.

Antes de tudo, porém, a nossa segurança é que nos permitirá agir de acordo com aquilo em que acreditamos, independentemente do medo de ser tachado de "mau", "durão", "chato", "pão-duro" etc.

CAPÍTULO 7

"Quero dar ao meu filho tudo o que não tive"

ଓ

*No meu trabalho, muitas vezes percebo
que os pais fazem tudo o que os filhos querem,
porque são frustrados pelo que não puderam
fazer. Por exemplo, uma mãe que se casa
aos dezessete, dezoito anos, deixando toda
uma série de coisas para trás, sonhos, desejos,
profissão, viagens etc., procura compensar
o que perdeu dando tudo para os filhos.
"Meus filhos vão ter tudo o que eu não tive."*

Com esse ou outro formato, muitos são os pais que me afirmam com extrema convicção: "VOU DAR PARA OS MEUS FILHOS TUDO O QUE NÃO TIVE!" Nada mais bonito — uma grande prova de carinho e dedicação.

Assusto-me porém quando verifico que, na prática, esse "tudo que não tiveram" se transforma quase que unicamente em coisas materiais — milhares de brinquedos, muita roupa nova, passeios todos os fins de semana, viagens desde cedo, todos os pequenos desejos (e os grandes também) imediatamente atendidos, no mais das vezes sem qualquer questionamento por parte dos pais. A não ser quando o dinheiro não é suficiente. Nesse caso, com muito sofrimento, eles adiam para daqui a um ou dois meses a compra do novo bem.

Poderão muitos me perguntar: Mas o que é que tem de mais? Se eu posso, tenho dinheiro, e ele fica tão feliz, por que não? Acredito que essa decisão de "dar tudo o que não teve" esta, em primeiro lugar, relacionada (sem querer psicologizar) a ALGUMA COISA NÃO BEM RESOLVIDA NO PASSADO. De modo que, em primeira instância, E SEM QUERER GENERALIZAR, nem sempre esses pais se questionam se o filho está de fato querendo, precisando, valorizando as coisas que vai ganhando ao longo dos dias, meses ou anos. Na verdade, ele está atendendo a uma necessidade dele próprio, pai. Que nem sempre é a necessidade do filho.

Aliando-se a essa percepção distorcida de "quem é que está com necessidade de quê" à situação financeira das classes média e alta, e ainda à falta de um sistema de valores claramente definido, os pais acostumam os filhos a uma avalanche de presentes, com a qual supostamente tornarão suas crianças felizes.

No entanto, esses mesmos pais, em outros momentos, afirmam que os filhos, apesar de tudo o que têm, quase não utilizam seus brinquedos e vivem pedindo outros e mais outros, os quais são também, em seguida, empilhados, quase sem uso, ao lado de dezenas de outros que vão se acumulando nos armários de seus quartos.

Alguns anos mais tarde, são ainda esses mesmos pais que lastimam o quanto têm que gastar com as roupas e mesadas dos filhos adolescentes. A mocinha precisa de uma roupa nova a cada fim de semana ou a cada festinha que se lhe apresenta. Roupas SOMENTE de grifes, porque senão é "cafona". Os meninos cedo começam a exigir carro, cartão de crédito, mais e mais dinheiro para programas em boates, noitadas ou viagens. Quando se tenta refrear estas exigências, que passam a ser vistas como DIREITO pelo filhos, a reação costuma ser de, no mínimo, revolta.

Há hoje um forte impulso consumista entre a maior parte das pessoas. Mas não é só isso. A meu ver, quando os pais agem, desde cedo, dessa maneira excessivamente generosa, porém impensada, na verdade o que eles estão estimulando é o surgimento de uma geração de jovens e crianças que valorizam apenas o *ter* em detrimento do ser. Aprenderam a ver o mundo dessa forma, e não poderiam, portanto, ser diferentes.

Pensando em nada negar aos filhos, os pais criam jovens extremamente inseguros, com valores equivocados. Não se sentem valorizados a não ser pelo que vestem, pelo que têm de bens materiais. Esqueceram, esses pobres pais, de revelar-lhes o seu valor pessoal, como gente, como ser humano que vale (ou deveria valer) pelo que é, pelo que tem de bondade, de generosidade, de honestidade, de caráter e honradez, de amor ao próximo. Ao contrário, esses equívocos só trouxeram aos filhos valores tais como "calça da Company", "bicicleta importada", "tênis Nike ou L.A. Gear" etc. Sem esses apetrechos, ou mesmo "uma roupa novinha", "ainda não vista pelo grupo", sentem-se desprotegidos, desvalorizados.

Esse tipo de compensação que os pais dão a si próprios em função do que não tiveram (ou pensam que não tiveram), julgando que estão dando aos filhos, em geral, lhes é dado em detrimento de um conjunto de valores (e é aí que reside o problema) que os estrutura como verdadeiros seres humanos, com outras preocupações mais profundas do que meramente TER, TER, TER, COMPRAR, COMPRAR, COMPRAR. Eis a senha e o início do processo.

Em suma, pensando dar tudo, na verdade não estão lhes dando nada de realmente importante.

Gosto de lembrar da minha infância. Nós tínhamos tudo que nos era necessário para viver bem: uma família bem-estruturada (nos moldes da época, claro): papai trabalhava, mamãe cuidava de nós todos. Não trabalhava fora, embora tivesse uma profissão, o que nem era tão comum ainda à época. Mas, como todas as mulheres do seu tempo, o lar e a família eram realmente seu destino e sua missão. E ela fazia isso com prazer, a gente sempre sentia o carinho e a diligência. Nada nos faltava. Tínhamos amor, comida gostosa, atenção dentro do possível, segurança, educação, saúde, amiguinhos, tempo para brincar. Tudo. Não tínhamos nada em excesso, porque o dinheiro dava mas era meio escasso. Lembro-me de que mamãe organizava as coisas de forma a que cada mês fosse "a vez" de uma de nós três ganharmos roupa ou sapato. Brinquedo, em geral, era só nos aniversários. Mas eu, pessoalmente, não me sentia inferior a ninguém por não ter tido nunca uma bicicleta, por exemplo. Andava na de meus amiguinhos. Claro, adoraria ganhar uma, mas não era uma coisa desesperadora. Não fui educada nesse "desespero da posse" das coisas. Hoje, as famílias abastadas dão aos filhos, a cada um deles, bem entendido, todos os bens: cada filho tem o seu rádio, a sua TV, o seu quarto, a sua bicicleta. Não se ensina mais a dividir, a esperar. Na minha época de criança, o luxo era se ter um rádio. Quando minha irmã mais velha fez quinze anos, minha tia lhe deu um rádio. Nossa, foi uma sensação! Nem eu nem minha irmã caçula tivemos, devido a isso, obrigatoriamente que ganhar um rádio. Hoje em dia, tenho visto pais que no aniversário de um filho dão presentes a todos os outros, porque senão "eles ficam com ciúme" ou "tristes". Nós aprendemos, naturalmente, a ouvir o rádio de minha irmã. Como "dona" ela se prevalecia um pouco disso. Mas só um pouco. Nada que nos levasse, inexoravelmente, ao divã de um analista. Pelo contrário, aprender a dividir, a esperar sua vez, a suportar uma pequena frustração FAZEM PARTE SUBSTANCIAL DO APRENDIZADO DA VIDA. "Vou dar para os meus filhos tudo o que não tive" é, portanto, uma proposta equivocada em termos educacionais. Principalmente se esses pais estiverem referindo-se apenas a coisas materiais. Se eles estiverem pensando em dar uma estrutura emocional mais forte, se estiverem preocupados com diálogo, com mais preocupação social, então sim, será uma proposta maravilhosa.

O fato de a gente não ter tudo, logo, rápido, nos deixava tempo para desejar, para sonhar longamente com as coisas que a gente queria. Lembro-me especialmente de ter desejado muito um brinquedo. Não que eu tivesse todos os brinquedos que queria, mas porque esse me parecia exatamente isso — ESPECIAL.

Chamava-se "O Pequeno Dentista". Era demais! Tinha uma miniatura de equipo que acendia uma luzinha, cadeira, dentaduras, espelhinho, tudo. Uma graça. Um vizinho meu foi o primeiro a ganhar. Quando vi, fiquei apaixonada! Ele era até um bom amiguinho, porque emprestava, deixava sempre que brincássemos um pouco. Mas era tanta criança "na fila" para brincar um pouco que, às vezes, eu esperava uma manhã inteirinha para ter direito de obturar *um* dente de mentirinha. Mas, mesmo assim, valia a pena! Ah, se valia... Contei para minha mãe, descrevi o brinquedo com detalhes, entusiasmada. Nem me lembro se cheguei a pedir ou se ela percebeu o desejo, o brilho no meu olhar. Só sei que no meu aniversário quase não acreditei quando vi: MEUS PAIS ME HAVIAM PRESENTEADO COM O BRINQUEDO TÃO DESEJADO... Como eu cuidei dele, que satisfação, que prazer! Como o valorizei! Tanto que, até hoje, não o esqueci. Será que os nossos filhos, ganhando sempre tudo assim, rapidinho, de mão beijada, dão valor ao que têm? Será que lhes sobra tempo para tanto? Ou ficam apenas preocupados com o próximo anúncio de brinquedo que a TV lhes mostra e que, prontamente, os seduz?

Dirão vocês: "Na nossa infância era muito mais fácil, a televisão ainda não era tão voltada para o consumo, nossos pais talvez não estivessem na mesma situação financeira que nós." Certo. Concordo com tudo isso. Estamos francamente em desvantagem. Por isso defendo tanto os pais. Porque nossa luta é extremamente desigual, inglória. Muito facilmente nos acusam de errar, de não saber como educar etc. É muito difícil sim. E incessante. Mas — e aí está a nossa força — trata-se dos nossos filhos, do que é melhor para eles. Então, independentemente de se analisar a causa — mesmo sabendo que a TV tem grande parcela de culpa, mesmo sabendo que o apelo consumista hoje é muito maior que outrora, mesmo sabendo que muitos estão financeiramente bem e podem dar "*tudo*" (materialmente falando) aos filhos, mesmo sabendo disso tudo —, a realidade é que TEMOS QUE FAZER O MELHOR POSSÍVEL. E o que é o melhor? Se nossos pais, mesmo que tenha sido porque não tinham tanto dinheiro (ou por outra razão qualquer), não nos davam tanto e tão rapidamente e isso, consequentemente, nos fazia valorizar muito mais e APROVEITAR MUITO MAIS o que ganhávamos, por que não nos basearmos nisso para agir hoje? Não nas mesmas bases, mas UM POUQUINHO nessas bases?

Quando eu ganhava um vestido novo, já sabia como seria o modelo, de que cor, qual a fazenda. Eu havia sonhado e desejado. Coisa que hoje vejo acontecer muito pouco nas classes mais abastadas. Por quê? Porque não se dá tempo aos jovens e às crianças de desejar nada. Eles pedem hoje e ganham amanhã. Quando não no mesmo dia. Os pais agem assim porque têm dinheiro e "querem dar tudo que não tiveram" — pensam que estão amando mais a seus filhos dessa forma. No entanto, são eles mesmos que se queixam, frustrados, quando os filhos só os veem como uma espécie de "caixas de banco" ou "máquinas registradoras". Não percebem que eles próprios incentivaram essa ideia, com a ingênua concepção de que "dando tudo" estariam sendo os melhores pais do mundo e fariam suas crianças inteiramente felizes.

"Dar tudo" pode também se revestir de outras formas. Por exemplo: concordar (e promover) com a ida dos filhos a todos os programas que aparecem, mesmo que sejam em horários conflitantes. Festinhas de aniversário, idas ao cinema, clubes, praia. Todos os convites são aceitos, e, muitas vezes, os próprios pais veem-se em situações esdrúxulas, como ter que levar um filho numa festa às quinze horas em Copacabana, buscar o outro na saída do cinema às 15:30 no Leblon, levá-lo de volta ao clube para uma partida de futebol no Flamengo, esperar para trazê-lo para casa e depois sair para buscar o primeiro na saída da festinha. Sem contar que você passa seus fins de semana correndo de um lado para outro (sábado e domingo são dias de descanso também para os pais), é bom lembrar que, se se acostuma a criança nesse ritmo, com certeza um fim de semana em que ela APENAS FIQUE BRINCANDO NO PLAYGROUND poderá ser uma ver-da-dei-ra tor-tu-ra.

"Dar tudo" pode ser entendido também como a ida a duas festinhas de aniversário na mesma tarde, em horários quase simultâneos. Então, o pai leva os pimpolhos primeiro em uma, onde permanecem um certo tempo, após o quê, com as crianças ensopadas de suor, vermelhinhas, arrastando brindes e bolas (isso é "de lei"), lá se vão eles, correndo, estressados para a segunda festinha, "antes que cantem o parabéns". Dessa forma, em vez de se divertirem, as crianças ficam tensas nas duas festas e nada aproveitam. Além disso, os pais perdem, num momento como esse, a oportunidade concreta de mostrar de forma prática que a vida nos obriga, muitas e muitas vezes, a fazer opções, a tomar decisões nem sempre fáceis ou agradáveis.

As escolhas sempre envolvem algum tipo de perda e algum conflito. Decidir entre duas coisas que se quer é, sem dúvida, mais difícil do que escolher entre uma que o atrai e outra que não, da mesma forma que é bem mais complicado optar entre duas coisas que não se quer, mas que se TEM que escolher. Então, se sua filhinha tem duas festas no mesmo dia para ir, faça com que ela decida entre as duas. Assim, você estará aumentando o nível de tolerância à frustração, o que lhe será extremamente útil mais tarde. Quando ao contrário, tentando estar em dois lugares ao mesmo tempo, só estaremos propiciando estresse e cansaço a ambos. Em geral, os pais fazem esse tipo de esforço por considerar, como já afirmamos, que desta forma, estão "dando tudo". Na verdade, o melhor que podemos dar aos nossos filhos não são coisas materiais (roupas, brinquedos em excesso, festas de montão) mas equilíbrio, tranquilidade, paz. Aprender a valorizar o que se tem é muito importante.

É cada vez maior o número de pais se queixando de que por mais que deem coisas (materiais) aos filhos, eles estão sempre querendo mais e mais. Falta-lhes tranquilidade para valorizar o que têm, pelo excesso que lhes é dado. "O melhor da festa é esperar por ela" — velho dito popular, cheio de razão...

Não estou sugerindo ou defendendo a ideia de privar as crianças de coisas que elas podem ter. ESTOU SUGERINDO QUE NÓS, PAIS, DEIXEMOS ALGUM ESPAÇO, ALGUMA COISA PELA QUAL NOSSOS FILHOS SE EMPENHEM. QUE NÃO OS SUFOQUEMOS COM O NOSSO AMOR. AO CONTRÁRIO, FAÇAMOS COM QUE ACREDITEM EM ALGUMA COISA, QUE TENHAM ALGUM IDEAL, ALGUMA COISA POR QUE LUTAR. QUE DESEJEM DAR UMA CONTRIBUIÇÃO SOCIAL, NÃO APENAS RECEBER BENESSES DA SOCIEDADE.

Com quinze anos hoje, um jovem de classe média ou alta já teve de tudo em termos de viagens, bens de consumo etc.

Muitos já se ressentem de motivação para qualquer coisa. Afinal, o que há mais para descobrir, para emocioná-los, se os pais já lhes ofereceram o mundo em bandeja de prata? Então, enquanto ainda é tempo, quem sabe seja útil moderarmos nossa generosidade excessiva?

Também — e principalmente — quem sabe reformulamos nossos conceitos sobre o que seja "DAR TUDO"?

CAPÍTULO 8

Limites e conflitos na adolescência

ⓒℨ

*A relação com os filhos adolescentes
é sempre muito conflituosa. Como
podemos estabelecer limites
nesta fase, na escola e em casa?*

A adolescência caracteriza-se por ser a fase de transição entre a infância e a juventude. É uma etapa extremamente importante no desenvolvimento, com características muito próprias.

Há um desenvolvimento físico muito grande, com fortes transformações internas e externas. Também as mudanças nos campos intelectual e afetivo são marcantes. As meninas em geral amadurecem sexualmente antes que os meninos. Aparecem os seios, a cintura se afina, os quadris alargam-se, ocorre a primeira menstruação. A barba começa a despontar nos meninos ao mesmo tempo em que engrossa-lhes a voz, os pelos aparecem pelo corpo. Há uma intensa atividade glandular, hormonal, em ambos os sexos.

Paralelamente ao desenvolvimento físico interno e externo, ocorrem modificações também em nível social. O grupo de amigos tende a aumentar em importância, e a tendência à imitação acentua-se novamente. O desenvolvimento intelectual também é notável, com capacidade para generalizações mais rápidas, bem como maior compreensão de conceitos abstratos. Os meninos apresentam grande atividade física. A independência surge com força, muitas ve·

zes apresentando-se como rebeldia em relação às autoridades em geral.

O apetite é imenso, a sociabilidade maior, muito embora a insegurança seja muito grande. Há um crescente interesse pelo mundo, e é comum o surgimento de preocupações sociais. Progressivamente, ocorre maior maturidade intelectual, embora a parte afetiva apresente-se muito contraditória. É comum períodos de serenidade sucederem-se a outros de extrema fragilidade emocional, com demonstração frequente de instabilidade. A insegurança que o adolescente sente apresenta-se ora sob a forma de uma aparente "superioridade" com relação aos adultos, ora por uma total dependência.

É fácil compreender o quanto estes anos são difíceis para os jovens. Sentem-se imortais, fortes, capazes de tudo. Momentos depois, acham-se feios, desengonçados, deselegantes. Espinhas "acabam" com a pele, há pouco deliciosamente perfeita. Para os meninos o engrossar a voz traz dificuldades, porque em determinados momentos ela soa aguda e desafinada, logo em seguida, parecendo-lhes ouvir seu próprio pai falando.

A menina em poucos meses perde as características infantis, tomando formas femininas, quase que as definitivas de sua juventude. Entretanto, ainda sente-se e age como uma criança, aprisionada num corpo que, somente aos poucos, ela irá incorporando como seu de fato.

As ereções e polução noturnas trazem embaraços adicionais para os meninos, principalmente quando eles não têm, em casa, com os pais, suficiente liberdade para tocar nesses assuntos.

As emoções são contraditórias. Deprimem-se com facilidade, passando de um estado meditativo e infeliz para outro, pleno de euforia e crença em suas possibilidades.

EDUCAR SEM CULPA

Relacionei, de forma evidentemente sucinta, os principais fatos que ocorrem nesta fase conturbada da vida dos nossos filhos. Em verdade ela é tão complexa que podemos encontrar livros e mais livros sobre o assunto, escritos por excelentes especialistas que chegam a dedicar-se, por vezes, quase que exclusivamente a esta fase do desenvolvimento humano.

Que para os jovens esta fase é difícil não há dúvida. Qualquer manual de psicologia sobre adolescentes enfatiza este fato à exaustão.

O que vamos discutir agora é o outro lado da moeda: o quanto esta fase é difícil — DI-FI-CÍ-LI-MA — para os pais.

Os pais modernos têm bastante informação sobre a adolescência. Mesmo que de forma leiga, não especializada, dados e mais dados são diariamente veiculados sobre o assunto em jornais, revistas, livros e programas de rádio e TV. Pais com filhos adolescentes contam para os que têm filhos menores "o que os espera"... De forma que a chegada da adolescência já é, digamos assim, esperada na família com certa angústia, temor e muita ansiedade.

A pergunta que me é seguidamente formulada, sobre os limites nesta fase, assume, portanto, uma característica muito especial.

Em verdade, a relação com o filho adolescente faz parte de um processo que se inicia logo nos primeiros meses de vida da criança. A forma pela qual se estabelece o relacionamento com os pais desde a mais tenra idade é que vai determinar o tipo de situação futura. Nada surge do nada. Se desde pequena a criança acostuma-se a viver sem limites, se os pais raramente lhe dizem um "não", se quando negam alguma coisa não o fazem com segurança, com convicção, enfim, se a criança está habituada a que façam tudo o que ela quer, evidentemente não será na adolescência que aprenderá a aceitar qualquer tipo de controle. Portanto, a adolescência terá as características que a relação com os pais tomou ao longo dos anos de convivência. A tônica será a mesma, provavelmente com algum tipo de exacerbação, devido à crescente necessidade de autoafirmação e independência.

Se você acostumou seu filho a fazer somente o que quer, se tudo que ele deseja lhe foi sempre concedido, se ele não aprendeu a dividir os direitos e os deveres, provavelmente na adolescência ele repetirá esse modelo.

Então, o mais acertado é, desde o começo, ter um modelo educacional, um plano, objetivos muito bem delineados de como se pretende educar os filhos.

Alguns pais, principalmente aqueles que têm um razoável poder aquisitivo, tendem a atender a praticamente todos os pedidos das crianças quanto a brinquedos, passeios, programas e lazer. Assim, elas crescem achando extremamente natural que, por exemplo, aos dezoito anos ganhem um carro. Em verdade, muitos são os pais que, até mesmo antes disso, aos quinze, dezesseis anos, já lhes permitem dirigir (mesmo contra a lei, sem carteira de habilitação) seus carros, ou até lhes dão um próprio. O mesmo sucede com as motos. De forma que já há uma expectativa, como se fosse um "direito natural" de ganhar as coisas à medida que crescem. Os pais sentem-se felizes em dar tudo que podem, pensando que, dessa forma, evitarão "frustrar" os filhos.

Ocorre em consequência uma dificuldade crescente, por parte das crianças, em aceitar qualquer negativa. Lembro-me de ter assistido a uma cena, certa vez, na casa de amigos, em que o pai, chegando em casa à noite, após um exaustivo dia de trabalho, esquecera de trazer figurinha para o álbum que o filho então colecionava e que ele prometera trazer, ao sair pela manhã. O filho cobrou com veemência o prometido. Não houve acordo possível, por mais que o pai explicasse que tivera um dia particularmente atribulado e que o faria no dia seguinte. Todas as argumentações foram inúteis e o menino — já com sete anos — chorou, esperneou, exigiu. De modo que, vencido, cansado e aborrecido, o pai saiu — às dez horas da noite — à procura de uma banca de jornais, dessas que funcionam 24 horas, para atender ao filho. Volto a insistir que o fato é marcante não pela compra das figurinhas, nem porque o pai cedeu a uma exigência descabida. O principal é que, agindo dessa forma, com medo de frustrar o filho, na verdade perdeu-se uma excelente oportunidade de levar o menino a considerar também as necessidades alheias, o fato de o pai estar cansado, de poder adquirir o que desejava num futuro bem próximo e, dessa forma, exercitar um controle sobre seus sentimentos, desenvolvendo maior tolerância à frustração.

Agindo sempre dessa forma, os pais acabam fazendo com que o "tiro saia pela culatra", ou seja, em vez de evitar uma pequena frustração, que poderia ser até benéfica, na medida em que lhe mostraria a necessidade de se repartir direitos e deveres, a longo prazo esse tipo de atitude colabora para diminuir a capacidade de a criança suportar um "não" futuramente, na escola, na vida profissional ou afetiva.

Se você palmilha o chão que seu filho pisa sempre com pétalas de rosa, ele esperará que, pela vida afora, isso ocorra também com as outras pessoas. Na escola, ser-lhe-á difícil aceitar, por exemplo, uma nota mais baixa, uma reprimenda ou mesmo uma dificuldade conceitual em determinada matéria. Quando crescer, poderá ter muita dificuldade se uma menina não lhe aceitar o assédio, não quiser ser a sua namorada.

A vida, com certeza, nos reserva a todos muitos "nãos". Cabe aos pais ir, aos poucos, mostrando isso aos filhos, preparando-os para suportar as derrotas e as dificuldades com tranquilidade e espírito de luta, sem maiores problemas.

Estas situações que começam a ocorrer na infância tendem a exacerbar-se na adolescência, pelas próprias características que enumeramos de início.

Você deixou de mostrar ao seu filho, em um sem-número de ocasiões, que o espaço familiar deve ser harmonicamente dividido, equilibrado. Ao contrário, deixou que ele crescesse cercado de tudo que, por um segundo, desejou. Brinquedos, roupas, programas infantis, viagens, presentes sempre mais e mais caros a cada aniversário, festas monumentais. Você também não se mostrou a seu filho, no dia a dia, uma pessoa com direitos (além de deveres), não se colocou quando ele o interrompia a cada momento se você estava no banheiro, lendo ou falando ao telefone. Levantou um sem-número de vezes a cada refeição para atendê-lo, interrompeu incontáveis conversas para lhe assistir uma nova gracinha, deixou que ele "ciscasse" do seu prato, mesmo que fosse a sua primeira refeição calma após um dia inteiro de trabalho, permitiu que ele riscasse os seus livros prediletos, arranhasse seus discos, estragasse seu videocassete porque não teve forças ou não sabia se podia lhe dizer não nesses momentos. Agiu assim porque pensava que estaria sendo moderno, não autoritário. Agiu assim para não o frustrar. Para fazê-lo feliz.

Agora, ele cresceu. Está, digamos, com quinze, dezesseis anos. Começa a querer sair sozinho, a não dizer com quem vai, nem para onde. Acostumou-se a ver você, pai, apenas como alguém que existe para servi-lo, porque você mesmo assim o permitiu. Aí, você começa a se preocupar, porque quando ele era pequeno, mesmo fazendo-lhe todas as vontades, ele estava sob as suas asas, protegido, cercado. Agora não mais. Ele começa a fazer programas sozinho com os amigos, a pressioná-lo para ter uma mesada maior, mas se nega a informar no que tanto gasta, começa a exigir um cartão de crédito, vai a barezinhos da moda, volta de madrugada. De repente, aparece uma viagem para Búzios, um fim de semana na casa de "uns amigos". Uma noite você desconfia que ele chegou levemente embriagado. Às vezes, chega em casa com dois ou três amigos e, sem maiores cerimônias, trancam-se por horas e horas no quarto, para ouvir música, conversar, tocar violão etc. Você usa alguns subterfúgios para ter acesso ao quarto, leva um lanchinho, bate na porta, pergunta se desejam beber alguma coisa, mas percebe pelo clima que está "fora", é um estorvo, sente que desejam vê-lo "pelas costas", intimida-se e para de interferir.

Por outro lado, você lê nos jornais que os jovens se reúnem para fazer "pegas" com carros ou motos, você se preocupa com a AIDS, mas não sabe se seu(sua) filho(a) já tem vida sexual ativa. Se tenta conversar, as respostas são agressivas ou evasivas. Se você tenta proibir alguma coisa, a reação é violenta. Sem maiores inibições, eles deixam escapar frases enfadadas e intolerantes para com os pais, quando eles sugerem, exigem ou tentam conversar: "que saco!", "pô!", "vai começar a encheção!"

Os pais se desesperam.

Esta situação conflituosa e delicada é vivenciada a cada dia por um maior número de pais.

SERÁ QUE ERA ESTE O RESULTADO QUE QUERÍAMOS OBTER POR CONTA DE "UMA EDUCAÇÃO MODERNA" E LIBERAL?

Sem querer ser simplista nem apresentar soluções mágicas, posso afirmar que uma grande parte dessa forma de relação está intimamente ligada a todo o passado, à origem e à forma de convivência que se estabeleceu entre pai e filho desde a infância. Isso não quer dizer evidentemente que, se soubermos estabelecer limites, que se houver algum tipo de controle, estaremos a salvo de todo e qualquer problema de relacionamento com nossos filhos na adolescência. Claro que não. Mas, sem sombra de dúvida, uma boa parte deles será evitada. Pelo menos, o respeito mútuo na relação estará preservado.

Cansei de ver adolescentes dirigirem-se aos pais de forma totalmente desrespeitosa — "mãe, você é monga!", "meu pai é o maior caretão", "você tá por fora", "você não se cansa de pagar mico?". Será que é isto que queremos? Será que é a isto que chamamos "relacionamento com liberdade"?

Devemos dizer tudo uns aos outros sim, sejamos pais e filhos, marido/mulher, namorado/namorada, amigos, vizinhos ou parentes. Autenticidade nas relações é um objetivo que sempre defendi e defendo. Mas não se pode, em hipótese alguma, confundir autenticidade com indelicadeza. Sinceridade com falta de sensibilidade. Conheço muitas pessoas que se dizem "verdadeiras" porque falam tudo o que lhes vem à cabeça (em geral não aceitam bem quando a recíproca ocorre). Na verdade, são pessoas que acabam sendo evitadas pelas outras, porque tornam-se extremamente desagradáveis, em nome dessa pseudotransparência.

Grande parte dos conflitos com os filhos, nas classes média e alta, se dá pelo fato de eles estarem acostumados a ter tudo o que sempre desejaram. Têm tudo e tanto que se habituam a esse padrão de vida como sendo o natural e a que eles têm direito, sem maiores aprofundamentos ou reflexões. Não se sentem mais ou menos felizes por serem privilegiados, por pertencerem ao grupo dos 3% da população que têm acesso aos bens de consumo, em larga escala. Simplesmente, eles APRENDERAM A VIVER ASSIM. A VIDA PARA ELES É ASSIM. E, como o homem tende a sempre desejar mais e mais, eles fatalmente começam a desejar outras coisas. O grande problema é o POUCO VALOR QUE DÃO AO QUE POSSUEM. O consumismo é incorporado como uma segunda pele. As coisas que adquirem são, em pouquíssimo tempo, abandonadas em troca de outras. Não chegaram a sonhar com nada, a esperar por nada. Bastou MENCIONAR um desejo para tê-lo atendido. Não cogitam de onde vem o dinheiro que gerou esses bens, nem se os merecem. Simplesmente os incorporam.

O importante, porém, é compreender que eles agem assim não por serem "maus" ou por qualquer outro juízo de valor, mas porque foi assim que aprenderam a viver. Aprenderam apenas a consumir, a ter sempre mais e mais. As coisas lhes chegaram como que por encanto. Pediu, ganhou. Desejou, teve.

O mesmo se repete em termos de espaço dentro da casa. Eles ocupam os melhores lugares frente à TV, colocam seus discos em alto volume, falam ao telefone horas a fio, sem pensar que outra pessoa da casa pode precisar ou até querer usar o aparelho. Pegam o jornal, folheiam-no e deixam-no largado, desarrumado, tenham os outros lido ou não. Comem e deixam restos ou pratos sujos pela casa. Não levam nada sozinhos para a cozinha ou para a lixeira. Suas roupas ficam jogadas nas cadeiras ou na cama do quarto — não se sentem MEMBROS de uma comunidade, de uma sociedade. Sentem-se SENHORES, com todos os direitos e poucos (ou nenhum) deveres. Raramente se interessam pelos outros elementos da família, não ajudam, não dividem tarefas, nem sentem necessidade disso.

Na verdade, raramente cogitam sobre isso. Apenas vão usufruindo do que a vida e os pais lhes proporcionaram. Não lhes foram dados espaço nem tempo para lutar por nada, para desejar alguma coisa, para sonhar acordado... Tudo que quiseram imediatamente tiveram.

É fácil entender, portanto, que COMEÇAR a estabelecer limites NESTA FASE em que a estrutura básica da personalidade está formada e em que se institucionalizaram os hábitos de anos e anos de convivência será muito, muito difícil.

O ideal é que a "correspondência no paraíso" de que tanto falo, ou seja, a democratização da relação e dos direitos e dos deveres, se inicie desde a mais tenra idade. Só assim será possível obtermos resultados satisfatórios. Porque, reafirmo, a tarefa dos pais é cansativa, desgastante e mesmo "chata". Somos nós pais que temos que "cortar o barato" dos nossos filhos várias vezes ao dia. Temos que mandá-los à escola quando querem ficar brincando em casa ou no *play*, temos que lhes ensinar a comer de forma saudável e nutricionalmente equilibrada quando eles gostariam de viver de chocolate, biscoitos e "danoninhos", temos que lhes dizer para ir dormir "porque amanhã tem aula" quando eles estão felizes da vida assistindo à TV, temos que evitar que vejam filmes de terror ou com mensagens inadequadas quando eles estão mortos de curiosidade sobre isso — enfim!!!, temos que fazer uma porção de coisas que preferiríamos não fazer, mas que fazemos por saber que é o correto e o necessário. Não é à toa que muitos pais dizem sim a tudo. Num imediatismo infantil, abrem mão de suas responsabilidades (ou de parte delas) porque lhes parece tão melhor, tão mais agradável ver os filhos contentes que não conseguem pensar de uma forma mais ampla. Daí é que surge a tirania dos filhos. Da insegurança dos pais, da falta de convicção sobre suas reais obrigações como pais. Afinal, pensam, é tão melhor vê-los contentes!

Então, se nossos filhos cresceram dentro dessa perspectiva, não será certamente quando adolescentes que obteremos espaço em suas vidas.

Não significa, obrigatoriamente, para aqueles que abriram mão da autoridade, uma condenação. Não. Certamente será muito mais difícil estabelecer limites A PARTIR da adolescência. Mas não é impossível, porque o jovem é suscetível, sensível e justo. Na verdade, a parte mais difícil para reverter o processo é A MUDANÇA QUE TEM QUE OCORRER PRIMEIRO NOS PAIS, nas suas atitudes e crenças. Isso implica, necessariamente, uma tomada de consciência, uma revisão crítica dos valores e da forma pela qual se está vivendo, para, a partir daí, se poder traçar os objetivos que se pretende.

Os pais têm que estar muito seguros das mudanças que pretendem operacionalizar para não fraquejar, porque, sem dúvida, muitos conflitos ocorrerão.

Imaginemos: seus filhos cresceram. Estão com, digamos, treze e quinze anos. Você sempre deixou que eles fizessem tudo que desejaram. Não limitou, raramente disse um "não", e quando o fez foi apenas nas horas do "não aguento mais" e não movido por uma linha educacional escolhida, pensada. Por isso, você se arrependia rapidinho das reprimendas e castigos, que ocorriam apenas nos momentos de raiva e cansaço e não dentro de uma linha de conduta. Por isso, a seguir, tudo voltava ao que era antes: você permitindo tudo e eles, a cada dia, mais e mais exigentes. Até a próxima explosão de cansaço. Mas agora você está com medo, porque eles começam a sair sem querer dizer para onde vão, não aceitam qualquer tipo de limitação financeira quanto aos programas que querem fazer, às roupas que querem comprar, aos amigos que querem ter. Então você decide que está na hora de mudar, de rever os arranjos que se formaram no decorrer dos anos. É difícil que eles aceitem essas alterações passivamente, sem reclamar ou sem criar casos. Por isso, é preciso que os pais estejam muito seguros sobre O QUE DESEJAM MUDAR. Pai e mãe têm que, juntos, tomar as decisões sobre as mudanças que serão operadas. Amadurecido o processo, discutido e definido, aí sim, pode-se passar à ação. Antes disso, jamais, porque se não houver muita, mas muita segurança, os pais não terão armas nem argumentos para enfrentar as reações que, certamente, virão.

De todo modo, o melhor é começar com uma longa conversa com os filhos. É sempre possível e aceitável um diálogo ou uma reunião em que sejam explanadas as modificações e revisões que serão introduzidas na vida familiar. Não se deve esperar uma aceitação completa e passiva. Em princípio, eles verão as medidas como retaliações, privação de "direitos", autoritarismo etc. Provavelmente, todos os recursos que têm serão utilizados no sentido de nos demover dos nossos propósitos. Eles sentirão, quase com certeza, que estão "perdendo" alguma coisa nessa nova situação. Por isso, a segurança dos pais quanto ao que desejam é tão importante nesse momento. Só estando seguros, definidos e com as coisas muito claras na mente é que se terá condições de vencer a dura batalha que terão pela frente.

Dessa forma, você começará a dizer não com segurança, sem brigas homéricas, mas com explicações calmas e racionais, que serão mantidas apesar de tudo. Você não se intimidará com as "chantagens" que eles lhe farão: "a mãe da fulana é que é legal", "só eu é que não tenho bicicleta de vinte marchas", "só eu é que não vou ao passeio", nem com os destemperos deles.

Isso porque terá havido uma mudança real, INTERNA, em você(s).

Provavelmente, as primeiras semanas envolverão muitos choques e conflitos. É natural que as crianças sintam a diferença e lutem pelo que elas considerarão "suas perdas".

Na reunião sugerida, os pais devem, de maneira não formal, evidentemente, colocar com muita clareza as novas regras do jogo, com as devidas considerações e explicações do porquê da mudança. Para funcionar, deverá ser um encontro programado com muita antecedência pelos pais, amadurecido em conjunto pelos dois, para, somente então, participar e discutir com os jovens o que se está pretendendo. É importante que eles tenham oportunidade de expressar suas opiniões e reflexões a respeito do que estão ouvindo, porém sempre evitando-se que o encontro descambe para mais uma sessão de brigas ou discussões.

Repito que isso só será realizável se os pais estiverem realmente, decididamente, amadurecidos sobre o que desejam mudar na relação.

As novas bases do relacionamento, é claro, não serão aceitas de imediato, daí ser previsível o surgimento de conflitos e tentativas de burlar as novas regras, que serão fatalmente encaradas com desconfiança, se não com animosidade, pelos jovens. Claro, estando acostumados à insegurança, à constante mudança de atitudes dos pais, a, enfim, fazerem tudo como querem, como não esperar resistência? Seria ingênuo. Portanto, somente a força da decisão e a segurança do que se deseja ajudarão a suplantar as dificuldades.

Por outro lado, as coisas poderão também correr melhor do que esperamos, pois, em geral, os jovens são capazes de refletir sobre uma nova proposta, desde que ela lhes seja apresentada de forma coerente e fundamentada.

A questão dos limites na casa e na escola, insere-se, portanto, na questão dos reais objetivos educacionais dos pais: O QUE QUEREMOS PARA A NOSSA VIDA E PARA A VIDA COM OS NOSSOS FILHOS?

Além do que já expusemos, cabe ainda uma referência ao importante aspecto de que o adolescente necessita, pelas próprias características da fase que está vivendo, ir, pouco a pouco, encontrando espaço (e apoio) para a tomada de decisões pertinentes à sua vida pessoal. O controle que os pais exercem deve restringir-se a áreas em que o jovem ainda não possa ou não consiga resolver-se por si próprio.

Nesse ponto, os pais sentir-se-ão tanto mais seguros quanto mais confiem na estrutura moral e ética que ajudaram o filho a desenvolver. Com quinze, dezesseis, dezoito anos, a base moral do jovem está praticamente determinada. Uma grande parcela espelhará o que ele viu acontecer, ao longo dos anos, na sua casa, na sua vida familiar. Muito mais do que os pais lhe disseram, antes o que FIZERAM, como AGIRAM, como se portaram em diferentes ocasiões.

Por exemplo, certa vez, estando com amigos e minha família num restaurante, na hora de pagar a despesa observamos que o garçom esquecera de cobrar um determinado prato que pedíramos. Minha reação imediata foi chamar o *maître* e solicitar a retificação, que implicava, recordo-me bem, dobrar o que teríamos a pagar. Assim foi feito. Pagamos o que consumimos, da mesma forma que teríamos reclamado caso nos tivessem cobrado a mais. Um ato corriqueiro e sem importância? Nem tanto. Em várias outras ocasiões, vi ocorrer o contrário, pessoas com bom poder aquisitivo prevalecendo-se,

NA FRENTE DOS FILHOS, do fato de a conta ter vindo a menos. É nesses momentos que, ao concretizar a "lei de Gerson", estamos incentivando a que eles também ajam dessa forma, em ocasiões semelhantes. Estamos autorizando-os a isto, se o fazemos. E disto não poderemos acusá-los depois. Foi conosco que eles aprenderam a agir com honestidade ou não, seja a ocasião propícia ou adversa.

Em outra ocasião, semelhante à anterior, assisti a um amigo, a título de justificativa, dizer: "Não vou falar nada sobre o erro deles, porque eles merecem pagar pela incompetência." E voltou para casa feliz da vida, com mais cinquenta reais no bolso. E com um filho que, atentamente, a tudo assistira e tudo absorvera.

Brigamos, brigamos, discutimos e nos escabelamos por bobagens sem importância porque nos incomodam. Cabelos longos, roupas rasgadas, tênis sujos. Em contrapartida, deixamos passar as oportunidades reais de educação, aquelas em que deveríamos, com seriedade e firmeza, intervir, para o bem dos nossos filhos, para o bem da sociedade e para o bem das relações futuras que nossos filhos irão vivenciar.

CAPÍTULO 9

Televisão x Pais — a convivência possível

൫

Tento educar meus filhos, mas hoje em dia é muito mais difícil porque a televisão traz para dentro de casa conceitos contrários a tudo que ensinamos. Tudo que digo aos meus filhos parece se tornar menos valioso do que as coisas que a televisão mostra. Já tentei proibir, mas eles assistem quando eu não estou em casa. Como lutar contra um inimigo tão forte?

Sob muitos aspectos, as coisas hoje estão bem mais difíceis para os pais. A começar pela própria proposta de não autoritarismo que caracteriza essa nova geração de pais. Isso porque não há dúvida de que o exercício da democracia e da liberdade é muito mais complexo do que o do autoritarismo. A nossos pais, na maioria das vezes, bastava um olhar significativo para que se fizessem obedecer. Tínhamos o olhar "cale a boca, você já falou besteira", o olhar "saia da sala", o olhar "depois a gente vai ter uma conversinha", entre outros. Cada um deles era eficientemente decodificado pelos filhos e — o que é mais estranho para os pais de hoje — imediatamente executada a mensagem que encerravam... Claro, os filhos, antes de tudo, TEMIAM os pais. Sabiam que, em caso de desobediência, seriam severamente punidos. Já hoje, os pais dialogam, explicam, pedem, voltam a explicar. De modo que o medo diminuiu muito nessa nova situação — quando existe algum medo. O que é extremamente positivo para uma relação sadia. Por outro lado, obedecer não é mais uma coisa automática: os filhos sabem que têm muitas chances antes que os pais se aborreçam: sabem também que podem argumentar, teimar e discutir sobre o que está sendo proposto. Por isso mesmo, a prática democrática é tão árdua. As crianças, hoje, têm QUE SER CONVENCIDAS A FAZER ALGUMA COISA QUE NÃO QUEIRAM.

Por outro lado, lutamos hoje contra coisas que os nossos pais não precisavam lutar. A televisão é uma delas.

Um dos aspectos interessantes sobre esse veículo acerca do qual tanta polêmica se coloca é que, com a sua ajuda (boa ou má, porém real), nossos filhos cedo aprenderam a argumentar e a usar uma lógica incrível, que nos desconcerta e que deixa muitos pais completamente sem argumentos frente, às vezes, a um menininho de oito anos... Aliás, essa capacidade de argumentação entra como mais uma dificuldade a ser vencida quando se tem que limitar ou controlar qualquer coisa. Num ambiente de liberdade, democrático, como os pais pretendem, com crianças precocemente amadurecidas em sua capacidade de contra-argumentação, ser obedecido fica realmente mais difícil...

É inegável que a televisão é altamente atraente. Portanto, como lutar contra ela? E será que devemos lutar contra ela?

O problema que os pais enfrentam com relação à televisão é muito semelhante ao que os professores enfrentam na escola hoje em dia. Trata-se de um problema de motivação. Como competir com um oponente tão poderoso em termos motivacionais? A criança e o adulto, na maioria dos casos (existem exceções, mas não são muitas), preferem ver televisão a ler, por exemplo. Há três décadas, além de não ser tão aperfeiçoada, não era também tão unânime sua presença em todas as casas. Hoje, inclusive nas camadas populares, é quase um fenômeno quem não tenha pelo menos um aparelho. Nos lares das classes média e alta, é comum vermos cerca de três aparelhos: um em cada quarto, ou um na sala e outros dois nos quartos. Até na cozinha é bem comum. Esse fenômeno

EDUCAR SEM CULPA

contribui para a separação física das pessoas, que se " entocam" cada uma no seu quarto, deixando de partilhar, de conversar, de trocar ideias com o restante da família nas poucas horas em que se encontram diariamente.

É muito importante que os pais estejam cientes do quanto ela é poderosa, até para que possam entender melhor o porquê de tanta resistência quando se tenta alguma medida disciplinadora em relação a ela, nem que seja uma medida mínima, como apenas diminuir o número de horas a que as crianças a ela ficam expostas.

A televisão exerce um fascínio enorme sobre os homens, sejam eles adultos ou crianças. Já são inúmeros os artigos e estudos sobre isso. Essa atração irresistível pode ser explicada de várias formas. Segundo alguns estudiosos, ela como que "hipnotiza" o telespectador, levando-o a um relaxamento físico e mental comparável ao que é proporcionado pela ioga. O alto poder motivacional também atua porque é um veículo que atinge o homem simultaneamente no mínimo através da visão e da audição. Além disso, por seus recursos, ela praticamente "concretiza" a mensagem, tornando-a quase real, o que a faz altamente persuasiva. Outro aspecto que não pode ser minimizado é o fato de que ela exige do telespectador esforços mínimos. Ver televisão é muito, muito fácil. A pessoa senta, coloca uns biscoitinhos ou o seu jantar numa simpática bandeja e... pronto! Não pensa, não sente, não conversa. Fica ali, horas e horas, em paz, tranquila, tranquila... Ler um bom livro ou assistir a uma aula expositiva, convenhamos, perde de muito em termos atrativos. São atividades que implicam um alto poder de concentração, porque a forma, o "canal" que utilizam, por mais maravilhoso que seja o conteúdo, fica anosluz aquém das possibilidades de uma tela de TV. Por isso hoje em dia é tão raro encontrarmos pessoas que leem. Até jornal pouca gente lê: uma grande maioria prefere assistir aos noticiários na própria televisão. É mais fácil, dizem elas. Sempre digo que, se as crianças de hoje não descobrirem cedo o gosto, o sabor inigualável da leitura, dificilmente elas se tornarão, mais tarde, leitoras. Com tanto apelo da TV, dos joguinhos eletrônicos e agora até do computador, fica difícil uma criança tomar gosto pela leitura.

Essa grande mobilização que a TV exerce deve ser sempre levada em consideração pelos pais (tanto como pelos professores) quando desejamos, por exemplo, que nossos filhos deixem de assistir a ela para estudar, ler, conversar ou até mesmo partilhar uma refeição com a família. É uma guerra em que entramos com poucas chances de ganhar. Podemos vencer sim, mas só com muito esforço. Porque é uma luta desigual. Afinal, pensam nossos filhos, é tão "manero" esse programa, por que será que a mamãe não quer que eu veja? Ou: "Será que ela acha mesmo mais LEGAL ler do que ver televisão?"

Pelo pouco que expus, já dá para perceber que proibir a criança de assistir à TV não vai solucionar coisa alguma. A começar pelo fato, já mencionado, da grande atratividade que ela exerce sobre nossos filhos. Além disso, não é escondendo o mundo dos nossos filhos que iremos prepará-los para enfrentá-lo. Antes, é expondo-os a ele (dentro das devidas proporções) que teremos maiores chances de desmitificá-lo. Além do quê, tudo que é proibido assume uma conotação ainda mais atraente. Portanto, proibir pura e simplesmente pode ser, na verdade, uma faca de dois gumes, que poderá só piorar o problema.

Isso posto, entretanto, é importante que, responsáveis que somos pela formação de nossos filhos, exerçamos algum tipo de controle sobre o que eles assistem na TV. Então, o que fazer?

O ideal, sem dúvida, seria que o responsável pela concessão dos canais de TV, o governo federal, exercesse algum tipo de vigilância quanto ao que está sendo produzido, aos horários de exibição de certos programas e mesmo às chamadas para determinados programas. E que agisse sobre isso, talvez até já estabelecendo *a priori*, quando da concessão às emissoras, certas regras. Sabemos quão complexas são as discussões acerca da censura e, sem dúvida, já vimos acontecer muita coisa terrível, sob o pretexto de "zelar pela moral e os bons costumes vigentes", em níveis nacional e internacional.

Por outro lado, sabemos que, infelizmente, grande parte do que norteia a escolha e manutenção da programação é o quanto "dá de Ibope". É preocupante a forma descompromissada com que a maior parte das emissoras se coloca, visando antes de tudo, e sobretudo, ao lucro, sempre e sempre maior. Quando penso no poder e na capacidade de motivação que a televisão tem, fico imaginando o que não poderia ser feito se assim o desejassem os donos das emissoras.

Enquanto esse milagre não ocorre, resta-nos constatar que cabe à família, ainda neste aspecto, mais uma vez, a tarefa de zelar pelas nossas crianças e jovens. Enquanto os responsáveis pelas concessões de TV e os próprios concessionários não mudam de perspectiva, não nos podemos dar o luxo de esperar. Temos que agir, porque em educação não dá para "voltar ao passado" e refazer o que não foi feito — temos que agir, e logo!

O que fazer?

Primeiramente, compreender que A TELEVISÃO EXISTE E É UM FENÔMENO IRREVERSÍVEL. Poderá evoluir para alguma coi-

TANIA ZAGURY

sa mais aprimorada — acabar ou sumir, nunca. Então, se temos que conviver com ela, que seja uma convivência harmônica e produtiva. Não adianta espernear. Ela já está aí e veio para ficar.

As atitudes mais comuns dos pais frente à televisão são muito extremistas. Há os que se utilizam dela "sem dó, nem piedade", quer dizer, deixam os filhos assistirem a tudo, em qualquer horário, por quanto tempo aguentem, desde que fiquem quietinhos e os deixem em paz. São os adeptos da "babá eletrônica". No outro extremo, há os que proíbem terminantemente as crianças de assistirem à TV. São muito mais raros, e "compram uma briga" quase que interminável ao tentarem adotar tal medida. Como tudo que é extremo, acredito que as duas posturas estejam equivocadas.

A atitude saudável e educativa é a do equilíbrio. Sem medo, devemos assumir que algum controle, algum tipo de censura, deve ser feito, principalmente quando as crianças são pequenas. A partir da adolescência, algo em torno dos catorze anos, não é salutar proibir mais nada. Provavelmente, eles já sabem de tudo o que tratam os programas. É até bom que assistam a programas sobre certos temas como AIDS, controle da natalidade, ou ainda certos filmes ou novelas com conteúdos visivelmente equivocados, para que possamos discutir com eles a partir daí o que, de outra forma, talvez muitos pais nunca abordassem de maneira espontânea, por timidez, falta de diálogo ou de oportunidade. Nestes casos, a televisão funciona como um veículo provocador do diálogo entre pais e filhos adolescentes, favorecendo a aproximação e oportunizando situações propícias à discussão. De outra forma, talvez esses assuntos ficassem excessivamente formais se tratados especificamente, parecendo uma "aula", ou, como dizem nossos filhos, uma "lição de moral".

EDUCAR SEM CULPA

Com as crianças pequenas, a atitude dos pais deve ser mais direcionada. É conveniente estabelecer um "horário-limite" a partir do qual, sabidamente, a programação se torna inadequada para elas. Mas, para isso, é preciso que os pais estejam dispostos a abrir mão também, por um certo tempo, de alguns de seus programas. Não é para sempre, apenas por uma ou duas horas diárias; depois que os pequerruchos forem dormir, poderemos voltar aos nossos programas. Felizmente, a classe média dispõe de videocassetes e pode gravar o que quiser, para assistir mais tarde. Enquanto isso, desliguemos a televisão e vamos propor aos nossos filhos um joguinho, ou outra atividade conjunta. Os ganhos são muitos para nossos filhos e para a família como um todo. É preciso porém que os pais estejam dispostos a isso. Não se queixam os pais que têm, hoje em dia, pouco tempo com os filhos?

Está aí uma excelente oportunidade de diminuir esse distanciamento. Essa atividade, prazerosamente feita em conjunto, aproxima pais e filhos e evita maiores conflitos.

Em geral, os conflitos sobre televisão ocorrem quando os pais querem assistir a um determinado programa e tentam alienar os filhos pequenos da sala ou do quarto de TV. Eles protestam, ficam curiosos, fantasiando muito a respeito "daquilo que lhes é proibido", mas permitido aos adultos. Só irão entender esse tipo de limite quando já estiverem maiorezinhos, talvez, dependendo da criança, com seis, sete anos. À medida que crescem, podemos, gradativamente, ir ampliando esse limite, até a liberdade completa, na adolescência.

Em qualquer idade, porém, mais importante do que o papel de "controladores", digamos assim (embora esse termo provoque repulsa em muita gente), é o papel de "despertador da consciência" que devemos assumir. Esse papel fundamental deve ser desenvolvido de forma inteligente, e não moralista (falo daquele moralismo "chato", que só afugenta os nossos filhos, quando se fica falando, falando e eles nos olhando — em geral sem ouvir —, esperando acabar a "caretice"...).

O papel a que me refiro dá um trabalho sem fim... Evidentemente, não poderá ser feito todas as vezes que a criança assiste à TV, porque em muitas delas nós nem estamos em casa. Também ficaria extremamente ineficaz, porque teria uma tremenda "cara de lição de moral"... Mas, sempre que pudermos, devemos "arranjar um tempinho", sentarmo-nos ao lado dos nossos filhos, para juntos assistirmos aos programas a que eles assistem, comentarmos com eles, ouvirmos o que têm a dizer e também lançar nossas opiniões. Ouvir, ouvir muito o que eles têm a dizer. Durante essas trocas de ideias é que poderemos funcionar como "despertadores da consciência".

É impressionante como, às vezes, até um simples desenho animado pode levar à distorção de conceitos. Isso porque também os desenhos, por mais ingênuos e simples que pareçam à primeira vista, contêm mensagens que, subliminarmente, penetram na mente das pessoas. Em geral, há um "herói" para o qual se encaminham as simpatias do espectador. É uma coisa quase automática: a criança, e mesmo o adulto menos crítico, acaba, quase sempre, torcendo pelo personagem central, escolhido por quem elaborou o filme, desenho ou peça teatral. Nosso papel seria, no caso, estabelecer o PENSAMENTO DIVERGENTE, que é exatamente o de aparelhar nossos filhos com a capacidade de pensar por si próprios, independentemente do que deseja quem criou o programa. Como fazer isso? Basta que lancemos, descompromissadamente, em certos momentos, como quem não quer nada, umas perguntinhas, frases ou comentários sobre o que estamos assistindo. Por exemplo: o Pica-pau, aquele passarinho simpaticíssimo dos desenhos animados, se analisado friamente, é um terrível mau-caráter, agressivo e violento. O mais das vezes, é destrutivo, desnecessária e imotivadamente. Lembro-me de um desenho a que assisti várias vezes com um dos meus filhos no qual o Pica-pau atacava um senhor, colecionador de cucos (aquele relógio antigo), destruindo gratuitamente sua coleção. Percebendo que meu filho, como a maioria das pessoas, torcia ingenuamente pelo "destruidor gratuito", comentei, como se o fizesse para meus próprios botões, o quanto aquela atitude era errada e indigna de uma pessoa "legal". Ressaltei o quanto eu estava penalizada pelo pobre dono dos relógios. Meu filho me olhou, meio assombrado. Imaginem, alguém ser contra o Pica-pau... Nada comentei além disso. Dias mais tarde, e em outras vezes, quando assistíamos a outras diabruras do mesmo personagem, foi ele próprio quem me desafiou, dizendo: "Desta vez é ele quem está com a razão, né, mãe?" Fiquei feliz, e concordei. Meu filho tinha captado a mensagem e pensara sobre ela, não só naquela ocasião mas também em outras, a partir daí. É assim, pouco a pouco — o processo é, obviamente, lento —, que vamos criando neles essa capacidade de julgar, avaliar, aprovar ou reprovar segundo seus próprios critérios, e não de acordo, unicamente, com o desejo do autor.

Trabalhada dessa forma, a televisão pode ser de extrema utilidade para o desenvolvimento da capacidade intelectual e do pensamento crítico. Evidentemente, esse tipo de trabalho exige dedicação, paciência e tempo por parte dos pais. Mas o que será que conseguimos nesta vida senão com esforço e paciência? Ademais, trata-se da cabecinha dos nossos filhos e é maravilhoso vê-los desabrochando intelectualmente. Será que existe alguma coisa mais importante do que esse nosso trabalho?

Assim, em lugar de ficar lamentando a má qualidade da programação, desejando que tudo mude e fique perfeito — e esperando, imóveis, passivos, até que esse dia milagroso chegue —, devemos agir em função do que temos e fazer o que podemos. E a gente pode tanto...

Dá muito trabalho, às vezes dá desânimo, porque há momentos em que questionamos tudo mesmo, principalmente quando se veem outros pais fazendo tudo ao contrário do que propus, deixando tudo, não interferindo em nada, e parece que tudo vai bem mesmo assim com os filhos deles. Então nos questionamos se devemos continuar nossa luta, se devemos continuar a ser "chatos", a limitar, a controlar, a EDUCAR... Para quê, por quê? É tão mais fácil deixar o barco correr! É, é muito, muito mais fácil. Mas o que desejamos? Facilidade, sermos os "bonzinhos", os que "deixam tudo"? Ou queremos transmitir alguma coisa a mais para os nossos filhos? Algo realmente substancial que possa, aos poucos, ir até mesmo mudando a feição tão individualista da nossa sociedade? Aí cada um tem que responder para si e por si. O que cada um pretende é uma resposta individual. Mas se sua resposta for a de que queremos um mundo melhor e pessoas melhores, mais "gente", mais "seres humanos", então você tem que agir como eu e como tantos outros pais, que lutam e lutam, aparentemente contra tudo e contra todos, pelo que acreditam... Mesmo que, em determinados momentos, nos pareça que somos só nós. Acredite, não é só você, nem só eu. São muitos; e se cada um de nós começar a fazer o seu trabalho, logo logo encontraremos esses outros que, por vezes, nos parecem não existir.

Recapitulando: a televisão não é obrigatoriamente um mal. Dependendo da nossa atuação, podemos torná-la até uma aliada na educação dos nossos filhos. De que forma?

Primeiro, CENSURANDO (sem medo da palavra) certos programas, principalmente quando as crianças são pequenas. Segundo, LIMITANDO o número de horas que eles assistem à televisão; terceiro, SUBSTITUINDO algumas dessas horas, sobretudo aquelas em que a programação for inadequada, por outras atividades feitas, de preferência, em conjunto pela família (ou por parte dela). Quarto, RESERVANDO um tempo diário, mesmo que restrito, para assistir a um programinha pelo menos com nossos filhos e aí, nesses momentos, ir DESENVOLVENDO neles uma postura crítica de espectador, habituando-os desde pequenos a pensar sobre o que estão vendo, à luz de conceitos tais como honestidade, honradez, justiça, amizade, lealdade, generosidade e outros que reflitam a ética que pretendemos legar aos nossos filhos.

CAPÍTULO 10

Palmada — sim ou não?

 og

*A palmada na hora certa
pode ou não ser usada hoje em dia,
na educação moderna?*

Esta foi uma pergunta que NUNCA deixou de ser formulada nos debates de todas as palestras que fiz, muito embora jamais tenha sido a primeira a ser formulada. Em algum momento, porém, ela sempre acabava surgindo — em geral quando o ambiente ficava mais descontraído, permitindo que as pessoas se sentissem com coragem suficiente para perguntar. Porque até mesmo formular a pergunta merecia uma autocensura. Em contrapartida a esse sentimento, sempre experimentei, nesses momentos, uma expectativa muito grande com relação ao que eu iria responder, isto é, que posição "a especialista em educação" tomaria frente ao assunto. Principalmente porque desde o meu trabalho anterior venho defendendo o estabelecimento de limites na relação pais-filhos. Então algumas pessoas ficam pensando que isto teria alguma relação com "bater nos filhos". Estabelecer limites, ter uma relação igualitária, que é a minha proposta, não tem nada a ver com bater nas crianças.

São muitos os pais que batem nos filhos. Mesmo que de forma não violenta, a famosa "palmadinha no bumbum na hora certa", como é conhecida, a palmada leve, que não machuca fisicamente as crianças, ainda é muito usada. Muitos pais espontaneamente me contaram que, eventualmente ou não, batem nos filhos. Outros batem sempre, ou com muita frequência. Todos porém, quase sem exceção, mostravam-se inseguros ou culpados em relação a isso.

O fato de esta pergunta ter surgido EM TODAS AS PALESTRAS mostrou-me que ela tem importância para os pais. Responder a ela pareceu-me, portanto, também muito importante:

SOU COMPLETAMENTE CONTRA BATER NOS FILHOS. E explico.

A primeira razão é que a palmada não resolve absolutamente os problemas da relação. Aparentemente pode até resolver, porque num primeiro momento faz com que a criança se sinta amedrontada e recue. Por outro lado, por incrível que pareça, também presenciei vários casos em que, mesmo apanhando e com medo, a criança, que se sente extremamente agredida por esse ato, que ela identifica — e com razão — como uma ação covarde e humilhante, encontra forças para enfrentar os pais dizendo, por exemplo, "não doeu", "viu, nem chorei", "bate mais" e coisas do gênero. É uma forma de defesa, que pode redundar em mais agressão, porque faz com que o pai se descontrole (mais do que já está) e perca completamente o domínio sobre si. Dessa forma, aquilo que muitos pais convencionam chamar "palmadinha leve no bumbum" pode acabar numa verdadeira pancadaria, até mesmo em espancamento.

Recapitulando, bater não resolve o problema da relação. Em segundo lugar, bater de leve pode levar a bater para valer. Terceiro, o ato de bater redunda, para os pais, num sentimento terrível de desapontamento consigo mesmos, gerando muita culpa e, consequentemente, desejo de se redimir. Em ge-

EDUCAR SEM CULPA

ral, essa remissão costuma se apresentar sob a forma de uma ansiedade que leva os pais a "afrouxar" justamente naquilo que pretendiam corrigir. Trocando em miúdos, o pai bate porque não quer, por exemplo, que a criança mexa na sua coleção de discos. Aí, tendo já advertido um sem-número de vezes, em determinado momento ele "perde a calma" e agride a criança fisicamente. Logo a seguir, sente-se terrivelmente mal com o que fez e não desejava. Sente-se culpado, covarde e imperfeito. Deseja ardentemente afastar aquela sensação tão aflitiva. Daí, para "se desculpar", deixa que ela mexa nos discos ou faça alguma outra coisa que, normalmente, não permitiria. E continua desgostoso consigo próprio, porque deixou a criança mexer (e provavelmente danificar os discos ou outra coisa qualquer). Instala-se o círculo vicioso, que o levará a, dentro de poucos dias, ou mesmo horas, bater novamente. Nada resolvido, e tanto conflito inútil...

Outra coisa que costuma acontecer é que a palmada tende a ir "perdendo o efeito", isto é, a criança acaba se "acostumando" a apanhar — desde que, logicamente, não seja espancamento ou algo que de fato a machuque — e passa, gradativamente, a temer menos esse tipo de agressão. O perigo reside no fato de que a tendência dos pais é, então, começar a bater mais e mais, tentando conseguir de novo o efeito inicialmente alcançado. E aí a coisa não tem fim... Muitos me dizem, com visível pesar e desalento: "Atualmente, a única coisa que resolve é bater." Com certeza, não é a única forma!

De modo que, qualquer que seja o enfoque, podemos concluir que a palmada não resolve coisa alguma, a não ser criar uma situação que, pouco a pouco, pode afastar severamente pais e filhos. E o que é pior: no fim de tudo, o que resta é, nos pais, um sentimento absolutamente doloroso e amargo de fracasso...

Não há dúvida de que bater num ser mais fraco já é em si uma covardia. Quando isso é feito pelo pai ou mãe de uma criança, os quais representam toda a fonte de amor, segurança, vida enfim, dá para imaginar a repercussão negativa na cabecinha dela. Quando além de simplesmente bater acontece uma surra, um espancamento, com graves consequências físicas, então não dá nem para imaginar o quanto de prejudicial isso pode ser.

Por tudo isso, pelo bem dos nossos filhos e pelo nosso próprio bem, acho que uma boa estratégia para evitar bater nas crianças é manter, nos momentos de conflito, uma distância tal que impeça o contato físico. Porque, independentemente de qualquer coisa, eu sei, como o sabem apenas aqueles que lidam direta e diariamente com crianças, o quanto elas podem ser teimosas e difíceis, o quanto elas são muitas vezes capazes de descobrir exatamente o ponto fraco, aquele nosso "calcanhar de aquiles", e como sabem utilizar bem esse conhecimento. Então, mesmo sendo nós os adultos, às vezes fica compreensivelmente tentador entrar no velho esquema de nossos pais e avós e "dar uma boa chinelada". Mas convém não nos deixarmos levar por um impulso de momento, porque, como já analisamos, o alívio que isso traz em geral se converte rapidamente num tremendo bumerangue sobre as nossas cabeças. O sofrimento é muito grande e o ganho, pouco ou nenhum.

Além disso, gosto de lembrar que, em geral, os pais chegam ao momento de bater porque deixaram passar muito a hora de agir com firmeza. Portanto, além da conveniente e segura distância física, e muito mais importante do que ela, é a ação preventiva, equilibrada e segura que deve nortear os pais.

Nada melhor do que um exemplo concreto e verdadeiro: era uma mãe muito liberal, daquelas que deixam os pimpolhos "reinarem" à vontade em casa. Simplesmente, para vocês terem uma ideia, entre outras coisas, eles andavam por cima dos móveis. A mãe, na verdade, não questionava muito as coisas em termos educacionais. Simplesmente ela não tolerava o trabalho doméstico, nem pretendia se amofinar muito com as crianças. De modo que, em geral, ela deixava que eles fizessem todas as brincadeiras na sala, fosse em cima dos sofás, dos móveis, fosse no chão. A casa vivia em constante desarrumação, para não dizer pandemônio. Ela tinha, por sorte, uma excelente empregada que vivia — compulsivamente — tentando arrumar o que as duas crianças viviam — também compulsivamente — desarrumando. Era, pois, uma batalha perdida. De modo que assim iam levando a vida. O menino (era um casal de filhos com diferença de um ano) era o mais velho, extremamente inteligente e cheio de energia, que logo aprendeu e entendeu que podia realmente ocupar todos os espaços da casa com seus brinquedos e atividades febris. O problema que ocorria era que, às vezes, essa minha amiga chegava em casa do trabalho cansada, ou aborrecida com qualquer coisa, ou, também às vezes, ela própria não aguentava a bagunça total que se instalara na casa. Nessas ocasiões, ela tentava recuperar a autoridade e pedia ou mandava, dependendo do humor, que as crianças guardassem os brinquedos ou fossem brincar no quarto, para que ela pudesse, por exemplo, conversar ou ler um jornal. Obviamente, os meninos nem ligavam e continuavam a farra. Era guerra de travesseiros, era brincar de pique (correndo por cima dos móveis), era toda espécie de comidinhas pelos cantos da sala e quartos, enfim... Até que, num desses dias em que o "cálice estava cheio, transbordando mesmo" e ela e eu estávamos sentadas no sofá, tentando conversar — as crianças correndo feito loucas em volta —, de repente, quase que sem sair do lugar e sem interromper a conversa, ela atingiu o filho com um tremendo tapa na testa, daqueles bem violentos mesmo. Bem, eu mesma me assustei. Imaginem a cena: a gente conversando, a bagunça completa instalada e permitida tacitamente e, de repente, um violento tapa no rosto da criança. Lógico, foi um deus nos acuda. Ele chorou muito, surpreso e sem entender nada. Ficou com uma raiva tremenda e, sem dúvida, não pôde aproveitar aquilo para nada em termos de aprendizagem, já que, nem ao menos, sabia por que apanhara: tantas vezes aquele mesmo comportamento fora tolerado, como entender que não podia agora? É claro, não são todos os pais que agem dessa forma, mas em geral o aspecto importante é que, muitas vezes, talvez na maioria, os pais agridem fisicamente os filhos quando deixam de agir precocemente em situações que desaprovam. Quer dizer, mesmo sem considerarmos o exemplo citado, porque talvez ele pareça exagerado ou despropositado, a verdade é que muitas pessoas agem de forma semelhante, embora num grau menos perceptível, movidas pela insegurança que caracteriza os pais de hoje. Ocorre que vão permitindo ou admitindo certos comportamentos nos filhos e só quando se sentem fartos, irritados, cansados, exauridos é que agem, tentando proibir ou coibir atitudes que, até então, pelo menos aparentemente, eram aceitas. É claro que, nestas situações, a tendência normal da criança é teimar, insistir na atitude que está acostumada a ter. Isso torna extremamente difícil fazer-se obedecer pelos filhos, gerando então os momentos que chamo de "PEDAGOGIA DO DESESPERO": os gritos, as palmadas, os castigos exagerados.

Bater é um atestado de fracasso que os pais passam a si próprios. Cada pai que bate — mesmo os daquela "palmadinha leve" no bumbum — deve tentar, vigorosamente, fugir desse tipo de atitude. Deve buscar respostas na própria relação que tem com os filhos, nas suas atitudes diárias com as crianças, buscando entender qual o momento em que começa a perder a paciência, para aí agir, evitando deixar que as coisas cheguem ao ponto da agressão física. Cada vez que conseguir evitar a palmada será uma vitória que o encaminhará a soluções e atos mais maduros com os filhos.

É bem verdade que muitas vezes as crianças surpreendem os pais com a sua capacidade quase inesgotável de insistir, de não atender aos apelos e conversas, por mais racionais que eles nos pareçam. Esse fato muitas vezes desconcerta os pais, que, ao lerem os manuais de orientação psicológica a eles dirigidos, têm a impressão nítida de que, uma vez utilizados argumentos racionais, equilibrados e justos, uma vez instaurado o diálogo, consequente e inexoravelmente terão filhos compreensivos, obedientes e sensatos. Entretanto, a prática vem lhes mostrar que isso nem sempre é verdade. Por mais perfeito e justo que seja um argumento, muitas e muitas vezes as crianças não estão nem aí para eles, continuando a agir como se nada lhes tivesse sido dito. Repetindo-se esta situação, vezes e mais vezes ao dia, é bem compreensível a perplexidade de alguns pais e, mesmo, a incapacidade de encontrar ou buscar outras formas de resolução do problema que não a palmada.

Entretanto, entender que os pais perdem o controle não significa aprovar, muito menos aplaudir. Significa compreender para mudar. E é isso que considero importante: analisem suas atitudes, descubram por que se descontrolam, como se descontrolam, em que situações isso ocorre, para que, de posse desses conhecimentos, consigam mudar.

Alguns pais relataram momentos em que bateram nos filhos perfeitamente compreensíveis. Por exemplo, uma mãe relatou numa palestra que, certa vez, estava com o filho de seis anos, mais ou menos, esperando, na faixa de segurança, para atravessar a rua. Subitamente, o menino largou de sua mão e, em fração de segundos, precipitou-se para a avenida, atravessando-a correndo para a outra calçada. Felizmente, chegou são e salvo ao outro lado. Essa mãe, com toda a razão, passou em uns míseros segundos pela pior provação — o terror, o medo desesperador de perder um filho —, e, segundo o seu relato, sem nem saber como, de repente viu-se já do outro lado da calçada, perto do filho, no qual, sem pensar em mais nada, deu, segundo ela, "uns bons tapas". Em seguida, pegou-o no colo, beijou-o sem parar, chorando e tremendo, até que conseguiu acalmar-se. Esse tipo de situação não pode ser incluído, evidentemente, no rol de "bater nos filhos". Aqui estamos tratando de pais que tentam resolver o problema da disciplina, da obediência, na base da palmada. Não é o caso do exemplo. Também estão excluídos da análise feita os casos de espancamento grave e tortura física ou mental, que denunciam desequilíbrios psicológicos ou sociopatologias por parte dos pais. Nesta nossa análise, só estamos incluindo as palmadinhas, os "apertinhos" e beliscões, tapas, empurradelas, que refletem mais a incapacidade para administrar conflitos por parte dos pais

EDUCAR SEM CULPA

ou um certo despreparo emocional para a lida diária com os filhos do que a crueldade ou distúrbios do comportamento que se verificam nos casos de agressões físicas graves que, infelizmente, muitas crianças sofrem diariamente em suas casas.

CAPÍTULO 11

Pais que agem de formas diferentes

CB

Crise conjugal, separação. Como preservar a cabeça dos filhos, evitando a disputa dos pais? A criança pode ficar emocionalmente desestruturada, participando dessas discussões?

Sem dúvida, para os filhos, assistir às brigas, discussões, agressões verbais, às vezes até físicas, entre os pais, separados ou não, é desestruturador.

O pai e a mãe são as primeiras e mais importantes figuras da emoção infantil. Deles lhes vem tudo: alimentação, segurança, amor, carinho, estabilidade. São os polos primeiros do prazer e da dor. É fácil, portanto, imaginar como se sente uma criança, principalmente as menorezinhas, ao assistir à desagregação do lar onde nasceu.

Infelizmente, nem todos os casais são "felizes para sempre" em suas vidas conjuntas. Por vezes, nem "enquanto dura" a felicidade é eterna. E eu sempre digo que nós, pais, só podemos oferecer aos nossos filhos o que temos a oferecer. Então, se o casamento está em crise, ou se o casal está em vias de se separar ou se já se separou, mas as feridas ainda não cicatrizaram, vai ser muito difícil que os filhos não percebam e vivenciem essa situação, que é concreta, verdadeira, real. Não podemos criar uma redoma e colocar nossos filhos lá dentro, para protegê-los de tudo e de todos (às vezes até de nós mesmos). Temos que continuar vivendo o que temos para viver, mesmo depois de nos tornarmos pais. Não podemos (e não devemos) viver única e exclusivamente em função dos filhos. Temos que continuar tendo nossa vida de relação homem-mulher, profissional, de amizades etc. Até porque o que deixarmos de viver cobraremos, mais cedo ou mais tarde, dos próprios filhos (com juros e correção monetária, provavelmente). Então, muito embora, sem dúvida, os filhos ocupem uma parte muito substancial das nossas vidas e do nosso tempo, devemos continuar a viver nossos outros papéis. Se não estamos nos dando bem na vida conjugal, é inútil tentar fingir, vamos em frente, tentar consertar ou separar. O que pode e deve ser feito é evitar as brigas e as cenas violentas na frente das crianças. É claro, certas vezes isso é quase impossível, devido ao estado emocional das pessoas, mas devemos fazer um esforço grande no sentido de evitar ao máximo que elas assistam a esse tipo de "espetáculo", pelo bem delas e pelo nosso também.

De qualquer modo, é bom saber que elas sempre sentirão o que está acontecendo, pelo alto grau de percepção e sensibilidade que possuem. "Fica no ar" o clima quando o casal não está bem. Mas preservar a dignidade da relação é um favor que o casal faz a si próprio e aos filhos. As agressões, cobranças, cenas, ciumadas, choros e lamentações devem ser reservados, ao máximo, às quatro paredes ou aos momentos em que o casal está só. Sei, nem sempre se consegue. Mas tenta-se. E só de tentar já se diminui bastante a frequência com que elas ocorrem.

Nem que seja para evitar mais problemas, vale a pena isentar nossos filhos desse tipo de preocupação ou participação mais direta. A participação indireta sempre existirá, e será impossível evitar que eles sintam ou pressintam o que ocorre. Essa percepção, preservada a dignidade da família, tornará mais fácil para a criança aceitar uma separação, se ocorrer, ou uma crise momentânea.

Para os filhos, ver seus pais trocando insultos é extremamente assustador — e desestrutura sim. Só que nós, adultos, brigamos hoje e amanhã já estamos, muitas vezes, bem. A criança não tem a dimensão exata do que está se passando e pode parecer-lhe aterrador ver os pais — seus símbolos de segurança — demonstrando, de uma forma ou de outra, sua insegurança. É claro, ela também vai ficar insegura. Por isso, deve-se tentar reservar para dois o que é exclusivo de dois — marido/mulher.

Por outro lado, muitas vezes, assistir a uma ou outra discussão pode ser até salutar, desde que seja realmente uma discussão, e não uma série de cenas de violenta agressão. Porque é preciso também que nossos filhos saibam que os desentendimentos existem e são naturais. As divergências de opiniões e de posições fazem parte da vida das pessoas. Assim eles começam a entender que brigar, discutir, trocar ideias (desde que, repito, preservada a dignidade) podem ser o início da melhoria das relações. Não lhes parecerá portanto "o fim do mundo" cada desentendimento que presenciem ou até mesmo cada conflito de que participem, no presente ou no futuro.

Em resumo, vamos continuar vivendo o que temos para viver, apenas com o cuidado de não agirmos de forma que, depois, nos arrependamos: isto significa enfrentar os problemas de frente, apenas evitando fazer de nossos filhos as vítimas dos nossos problemas conjugais. Tenhamos a tranquilidade de saber que nossos filhos têm, em geral, mais equilíbrio emocional do que pode supor a maioria das pessoas, principalmente hoje em dia, com a excessiva "psicologização", que faz com que os pais tenham medo de tudo, supondo-se sempre os "traumatizadores maiores" dos filhos. Eu não vejo assim. A maioria absoluta dos pais deseja e luta pelo melhor para seus filhos. O que precisamos é recuperar a confiança em nosso papel: nós somos os educadores maiores, aqueles que estruturarão o adulto do futuro. Por isso, vamos dar muito amor, muito carinho, muita compreensão, atenção e diálogo, mas também vamos continuar a viver a vida do jeito que ela é, com acertos e desacertos, momentos bons e ruins.

CAPÍTULO 12

Pais separados = filhos-problema?

ය

Filhos de pais separados têm mais problemas?
Pais separados são mais permissivos?

Uma coisa grave que vem ocorrendo com os pais hoje em dia é o fato de que eles tendem a pensar que a Psicologia pode fixar regras para o comportamento humano de forma segura, geral, e elaborar "leis de causa/efeito". Quer dizer, muitos esperam que os livros e os profissionais da área lhes definam modos de agir que gerarão, em decorrência, comportamentos desejados nos filhos, pais ou pessoas de suas relações sobre as quais desejam ter algum tipo de influência.

Uma parte dessa ideia deturpada advém dos próprios livros, artigos em jornais e programas de rádio e TV sobre educação e psicologia veiculados para o público leigo, muitas das vezes sem o devido cuidado de explicitar as limitações de cada afirmativa. Outras, pelas generalizações inadequadas, decorrentes do fato de que alguns autores não têm domínio adequado da necessidade didática de um texto dessa natureza. As afirmativas que fazem dão realmente, para os que as leem ou ouvem, a impressão de que agindo dessa ou daquela forma, OBRIGATORIAMENTE, CERTAMENTE ocorrerá tal ou qual consequência. No meu trabalho anterior (o livro *Sem padecer no paraíso*), tratei do assunto com bastante profundidade, analisando inclusive textos de diversos autores, para melhor clarificar a questão.

Talvez uma outra razão seja que as próprias pessoas apresentam em geral uma tendência muito grande para fazer generalizações, sem nenhuma base científica. Apenas por terem presenciado ou ouvido uns tantos casos semelhantes — pronto! — criam uma "lei de comportamento".

Querem ver como as pessoas gostam de fazer generalizações? "Filho único é mimado"; "Mãe que trabalha fora não dá atenção devida aos filhos"; "Avó estraga os netos"... E por aí vai... Todo mundo repete... e acredita...

Na verdade, qualquer bom profissional da área psicológica, qualquer profissional honesto e bem-formado sabe que é praticamente impossível dizer-se que, em se tratando do homem, "dois mais dois são quatro". O máximo que se pode dizer é que "dois mais dois ÀS VEZES são quatro". Agora, com que frequência e em quantos casos vai acontecer, nunca se pode afirmar. Porque o homem é um ser complexo, que vive surpreendendo. A gente vê crianças incrivelmente maduras e seguras vivendo dentro de famílias completamente desestruturadas. Em contrapartida, numa família feliz e organizada emocional, financeira e estruturalmente, podem-se encontrar jovens totalmente desequilibrados, alcoólatras, toxicômanos etc. Filhos de pais que vivem brigando podem ansiar por uma vida diferente para si e cedo, cedo casar e viver muito felizes. Outros podem tomar o modelo e continuá-lo em sua própria vida. Quer dizer, em suma, que nunca saberemos qual será o futuro do nosso filho.

A ÚNICA COISA QUE PODEMOS FAZER, PORTANTO, É DAR O MELHOR DE NÓS MESMOS PARA QUE, NO FUTURO, SE ALGO CORRER DE FORMA DIVERSA DA QUE OBJETIVÁVAMOS, POSSA-

EDUCAR SEM CULPA

MOS NOS DIZER: "BEM, FIZ O MELHOR QUE PUDE, DEI O ME-
LHOR DE MIM."

Precisei fazer todo esse preâmbulo porque é importante
lembrar às pessoas, sempre que for possível, que devem ter
cuidado com as generalizações.

Para responder com segurança e cientificidade à pergunta,
seria necessário que se fizesse um estudo comparando a situação de filhos de pais separados e de casados. Mesmo assim, a
resposta não poderia ser generalizada, ainda que fizéssemos um
estudo em larga escala, porque seria necessário encontrar famílias de pais casados e separados com algum tipo de semelhança. Por quê? Porque só assim poderíamos compará-las. Se
uma criança é filha de pais separados mas que se dão como
seres civilizados, que agem como adultos e visam ao bem-estar dos filhos, eles continuam a se encontrar ou a conversar
sobre as crianças, sempre que necessário, dando-lhes segurança e conforto emocional, muito embora estejam separados. Há,
por outro lado, pais que vivem juntos e nunca se separaram,
mas que têm no seu dia a dia um verdadeiro inferno de brigas
e acusações, o que pode tornar os filhos inseguros e proble-
máticos. Mas nem isso é sempre verdade, porque também
existem casos em que as crianças, apesar de todo o tormento
em que vivem, conseguem superar esse meio adverso e são
tranquilas, produtivas, e até, por vezes, são elas que aconse-
lham e ajudam os pais. Em suma, a gente vê de tudo. NÃO HÁ
REGRAS ESTABELECIDAS, NÃO HÁ PARA TAL CAUSA OBRIGATO-
RIAMENTE TAL EFEITO.

Então, qual é, afinal, a resposta à questão?

O que posso dizer, com toda a honestidade, é que há MAIS
POSSIBILIDADES de filhos de pais separados apresentarem problemas, mas não pelo fato de eles serem separados e, sim, por-

que ELES NÃO RESOLVERAM BEM ESSA SEPARAÇÃO e aí começam a "jogar" com os filhos, causando-lhes ansiedade e insegurança. Claro, eles gostam dos dois! Então, essa divisão que os pais querem lhes impor só pode deixá-los inseguros e infelizes.

Essa situação não é, no entanto, uma regra. Há muitos casos em que os pais se separam e, aí sim, as crianças encontram paz. Cada um começa a viver de novo e desfaz-se o ambiente sombrio e difícil que existe, inevitavelmente, no final de uma relação que não deu certo.

É importante que os pais que se separaram não se sintam culpados frente aos filhos por essa derrota — quase sempre um casamento ou uma relação desfeita representa para o casal uma derrota, um fracasso. Quando se sentem assim, começam a tentar compensar os filhos do que julgam ter sido uma falha sua, e aí tendem a deixá-los fazer tudo que desejam e liberalizar demais, temendo "agravar" um trauma que consideram ter causado.

O que o pais, ao contrário, devem fazer é dar a maior atenção aos filhos, explicando-lhes com realismo e objetividade que a vida dos dois (pai e mãe) não deu certo por tais motivos e que cada um vai tentar refazê-la, mas que ambos continuam a ser o pai e a mãe que sempre os amaram e protegeram — e, principalmente, que isso não vai mudar.

Infelizmente, vemos pais que usam os filhos para ferir o ex-cônjuge, dizendo que ele é mau ou "não presta" ou que é "pão-duro"... Aí sim, fica difícil para a criança não ter problemas. Mas, ainda assim, não se pode jurar... Dar segurança implica ter segurança. Não se pode dar o que não se tem. Então, se o pai ou a mãe se sentem culpados pela separação, tenderão a passar esse sentimento para os filhos. É claro que, numa separação recente, o casal ainda está magoado e ferido, então os encontros ainda se dão cheios de dor e ressentimentos, salvo alguns casos raros. Temos portanto que ser francos com as crianças e dizer-lhes com simplicidade que o momento é difícil para todos, mas que todos devem lutar JUNTOS, e não uns contra os outros, para superá-lo. Acho que a gente pode conversar mais e mais francamente com os filhos do que faz a maioria dos pais. Sempre temem que não serão entendidos, que a criança é muito pequena etc. É surpreendente no entanto verificar o quanto elas são capazes de nos ajudar. Com muita generosidade e compreensão, desde que tenhamos, é claro, já uma relação de diálogo e compreensão com elas.

Quanto à segunda parte da pergunta, sobre a PERMISSIVIDADE, também precisaríamos recorrer a um estudo de realidade para poder afirmar alguma coisa. Mas o que costuma ocorrer em muitos casos, como já referi acima, é que, inseguros e desgastados, os pais tendem a deixar as crianças fazer tudo que desejam. Temem — agora que moram separados — o outro cônjuge, julgam que as crianças poderão ter mais afeto ou preferir morar com o outro se lhes disserem um "não" ou se lhes colocarem limites.

Nessa hora, é preciso fazer "das tripas coração" e lembrar que, embora separados, ambos continuam sendo pais das crianças que geraram. Deverão fazer um esforço grande para superar a amargura do momento e lembrar que devem ser adultos e maduros. CONVERSAR pode ser a melhor solução. Combinar o que AMBOS deixarão e o que não deixarão as crianças fazer pode ser uma medida muito eficiente. Claro, um terá que dar o primeiro passo, quando a separação envolveu muita briga e muito desgaste emocional. Acima de tudo, porém, deve estar a ideia de que os nossos filhos não devem pagar, nem ser usados por nós.

Outro fato comum é a permissividade excessiva ocorrer por parte do pai (ou mãe) de fim de semana, isto é, daquele que não ficou morando com os filhos. Então, por medo ou comodismo (às vezes até para solapar mesmo), fica mais fácil deixar fazer tudo que eles querem, porque segunda-feira eles vão embora mesmo... Aí o "monstrinho" que se cria vai para a outra casa, e o pai ou mãe que residem com a criança têm que refazer tudo. Nesses casos, muitas vezes passam a ouvir: "Meu pai é que é legal, lá eu faço só o que quero", "Você é chato, vou morar com a minha mãe, ela é que é legal", dificultando ainda mais a situação. Quer dizer, a criança fica realmente com a impressão de que vai ser melhor morar com quem as deixa fazer tudo. Afinal, o "chato" é aquele pai que educa, porque tem que obrigatoriamente proibir muita coisa que as crianças gostam de fazer. Só que, se os papéis se invertem, o "bonzinho" acaba tendo que colocar regras no jogo. E aí a criança sente que foi traída, ludibriada. E foi mesmo.

Há pouco tempo, uma mãe contou-me que o ex-marido, que a deixara e estava vivendo com uma outra mulher, em outro estado do país (e que no início nem queria ver os filhos todos os fins de semana, estava apaixonado, em lua de mel...), depois de algum tempo, começou a querer ficar de vez com os filhos. Ela, que tinha a guarda em juízo, acabou ficando numa situação difícil frente aos filhos, um adolescente e um pré-adolescente, porque os argumentos que o pai usava para que mudassem de casa eram tentadores para as crianças. Dizia-lhes que, morando numa cidade menor, eles poderiam ficar juntos muito tempo, pescar, jogar bola juntos etc. Enfim, seduziu os filhos, que acabaram obtendo a concordância da mãe para a mudança. Lá se foram. Só que, passadas algumas semanas, falando com a mãe ao telefone, os meninos mostraram-se muito desiludidos, queixaram-se de que era tudo mentira, pois em dois meses não tinham saído com o pai nem mesmo nos fins de semana, e ansiavam por voltar...

É extremamente difícil, embora não impossível, mudar essa situação, muito confortável para aquele que faz o papel de "bonzinho". Se uma boa conversa não resolver a questão, uma outra tentativa é alternar a guarda dos filhos um ano ou seis meses com cada um. Isso fará, sem dúvida, com que o "permissivo" pense novamente, por perceber claramente que não conseguirá manter a relação do jeito que está, isto é, só "festa", por mais do que um fim de semana ou a cada quinze dias. Só que, em geral, isso é muito difícil de ser colocado em prática, especialmente pelas mulheres. A mãe do exemplo deixou os filhos irem com o coração partido, mas viu-se diante de uma situação que as crianças só desmitificariam vivendo-a. Se ela própria tivesse tentado dizer que nada daquilo aconteceria, só despertaria ainda mais nas crianças o desejo de ir. Agora, elas querem voltar, por livre e espontânea vontade. Foi uma aprendizagem e uma atitude corajosa da mãe, que não instigou os filhos contra o pai, embora tivesse tido vontade. Ela foi madura e adulta o suficiente para não deixar que seus sentimentos feridos, sua mágoa pessoal pelo ex-marido, fossem transferidos para as crianças. Acreditou em si e no que sempre fez por eles. Pai ou mãe, ainda que descasados, AMBOS CONSERVAM A RESPONSABILIDADE SOBRE OS FILHOS.

Ainda é muito pequeno porém o número de mulheres que se sente com coragem para dizer isso ao ex-marido. Elas sofrem duplamente: primeiro, porque a sociedade, de certa forma, ainda critica — e severamente — as mulheres que não ficam com os filhos após uma separação. Por outro lado, essa ideia é inculcada na mulher há tanto tempo que a maioria delas acredita realmente que o pai não pode cuidar tão bem dos filhos quanto ela. E aí é que começa um espaço muito propício a determinados tipos de chantagem emocional que as mães descasadas sofrem por parte dos ex-maridos. Por qualquer coisinha eles as ameaçam de "tomar as crianças". Controlam com isso suas vidas, seus namoros e amizades, o dinheiro etc. Acredito que muitos, mas muitos mesmo, desistiriam rapidinho da ideia de serem os "bonzinhos", bagunçando a cada fim de semana com a educação dos filhos, se as mulheres lhes passassem a guarda das crianças quando estivesse ocorrendo esse tipo de atitudes por parte dos pais. Só que são muito poucas as que têm coragem para isso.

Entretanto, os homens são muito capazes de educar seus filhos e exercer as funções tradicionalmente consideradas "maternas" (excetuando a amamentação no peito, evidentemente). Talvez ou com certeza, não sei, não ajam exatamente como as mulheres, mas de outro jeito, o jeito dos homens. E dá certo também. O que importa é o amor, é querer educar, é querer ver os filhos bem... Essa deveria ser a regra básica norteadora. Infelizmente, ainda assistimos a muitos ex-casais "usando" suas crianças para pequenas (e grandes) vinganças contra o outro. Uma das formas utilizadas pode ser também essa de "deseducar" sistematicamente os filhos, a cada fim de semana. É uma forma de desestruturar o outro. Altamente produtiva, por sinal. Nessa triste situação, quem não foi levado em conta?

Na hipótese mais drástica, encontramos os ex-casais em que AMBOS travam uma batalha particular com os filhos, para ver quem é mais permissivo. No íntimo, os dois estão tão inseguros e desestruturados que, na verdade, embora sem total consciência disso, estão disputando "quem é melhor, quem terá mais amor dos filhos", esquecendo seu verdadeiro papel, que e o de lhes dar segurança, amor, afeto, educação.

Se alguém perceber que está nesse caso, deve se lembrar de que nem tudo está perdido. Tome a iniciativa: procure o seu ex e converse, por mais difícil que seja. Conversem uma, duas, dez vezes. Mas falem apenas dos filhos. Façam um trato: nada se falará sobre o passado, sobre o casal. Lembre-se e ao outro que vocês têm de esquecer as mágoas ou enterrá-las em prol do desenvolvimento harmônico dos filhos.

Casados ou descasados, os pais devem ter consciência de que permissividade e modernidade não são sinônimos. Ser severo quando necessário não implica perda de amor dos filhos. Ao contrário, muitas vezes o dizer "não" mostra-se bastante salutar aos nossos filhos, porque, além de lhes dar chances de se tornarem cidadãos produtivos e conscientes, lhes dá também uma coisa que lhes é essencial — SEGURANÇA.

Deixar fazer tudo soa às crianças, muitas vezes, como falta de interesse.

CAPÍTULO 13

Filmes violentos = jovens violentos?

ɔʒ

A violência entre os adolescentes está muito grande hoje. Os filmes de guerra e de luta interferem nas atitudes dos jovens?

*H*á uma forte tendência por parte dos adultos, a cada geração, de considerar que "no seu tempo" as coisas eram melhores, menos violentas ou problemáticas. Acredito que esse fenômeno faça parte de um processo de racionalização que os adultos utilizam para compensar o sentimento de perda da juventude. É natural, porque tudo na nossa sociedade contribui para o engrandecimento do jovem, do novo, e, em contrapartida, para o desprestígio do velho, do idoso, do que é "antigo".

Portanto, acho sumamente importante que as pessoas se conscientizem desse processo e que, sobretudo, se percebam nele, para evitar aquelas frases que eles mesmos odiavam ouvir de seus próprios pais (e que agora, sem se dar conta, utilizam): "No meu tempo se respeitavam os mais velhos"; "No meu tempo, havia educação"; "No meu tempo é que era bom..." Quanta saudade nessas frases... Que vontade de voltar atrás no tempo, não tanto pelas formas de comportamento tão diferentes, mas talvez, muito mais, pelo TEMPO QUE ESTÁ PASSANDO, DE FORMA INEXORÁVEL!

É engraçado observar que muitos desses adultos que hoje vivem usando esse tipo de "frase-lamento" foram os que, em sua juventude, mais se ressentiram desse mesmo saudosismo demonstrado, à época, por seus pais ou por outros adultos da ocasião...

Na verdade, se observarmos com isenção, poderemos perceber que as crianças hoje, principalmente os meninos, são até bem menos agressivos e violentos do que foram os da geração passada. Isso se deve em parte ao fato de, hoje, se exigir muito menos aqueles comportamentos típicos de "macho" que as gerações passadas consagraram. Era muito comum os pais estimularem os filhos, ainda pequenos, a "serem homens". Quando choravam por qualquer motivo, justo ou não, impediam-nos de expressarem seus sentimentos, com a famosa frase: "homem não chora", ou "isso é coisa de menina", quando eles externavam emoções ou sentimentos. Hoje não. Graças a Deus, porque deve ser realmente um grande alívio para nossas crianças poder expressar seus medos, suas dúvidas, suas fraquezas. Os meninos passavam duras provas até chegarem à adolescência. E, quando aí chegavam, a coisa piorava ainda mais... Porque, se antes precisavam provar que eram "machos" (tadinhos, tão pequenininhos...), agora era chegada a hora de mostrar a virilidade. Com treze, catorze anos, os meninos eram levados aos prostíbulos para sua iniciação sexual. Estivessem ou não com vontade, sempre aparecia um tio, um padrinho ou o próprio pai para decidir que "era chegada a hora..." ou "vamos dar um uso para isso aí"... Imaginem só: um menino, quase uma criança, com tamanha responsabilidade e expectativas sobre algo que ele nem sabia direito o que era... Um verdadeiro ritual de iniciação! Todo mundo esperando para ver se ele SE DESINCUMBIA A CONTENTO DA MISSÃO.

Na verdade, ainda são muitos os que continuam com essa maneira estereotipada de agir. De qualquer forma, já há um grupo substancial que mudou, o que vai determinando um novo comportamento.

Sem levar em conta a desconsideração e a discriminação com relação à mulher que esta forma de iniciação sexual traz, vale lembrar o quão traumatizante podia ser para o garoto, caso não conseguisse efetivar o ato sexual. E não devem ter sido poucos os que não conseguiram. Bastaria ser mais sensível ou tímido. Ou, mesmo, considerar muito importante agradar ao pai ou ao padrinho...

Essas atitudes, entre outras, contribuíam bastante para exacerbar, por um lado, a agressividade e, por outro, a violência, principalmente por parte dos meninos. No que diz respeito às meninas, levava-as a uma atitude de passividade frente aos homens e ao sexo, mas, em especial, frente à própria vida.

Acredito que a cada dia que passa seja menor o número de adolescentes que têm sua vida sexual iniciada dessa forma tão humilhante e invasiva. Do mesmo modo, a cada dia é menor o número de pais que impede seu filho do sexo masculino de expor sua emoção, de chorar, de ser humano enfim. Também são poucos os que incentivam os meninos a lutar, a bater nos outros para "provar sua macheza"... Por esses e outros motivos, a geração atual é menos agressiva do que a de ontem. É também menor o número de incidentes em que as crianças se agridem fisicamente, as famosas brigas em que um menino dizia para o outro "espero você lá fora"... Como não se criam expectativas desse tipo, como não se incentiva hoje esse tipo de atitude, a agressividade do menino diminui.

Ao lado desse progresso, porém, não há dúvida de que as crianças e os jovens atualmente estão mais expostos a outros tipos de violência.

O cinema e a televisão, com o grande desenvolvimento técnico que tiveram, produzem, a cada dia, cenas mais e mais realistas. Olhando os filmes de hoje, os de outrora se tornam românticos e suaves, sem a clareza de detalhes e de sanguinolência que os de hoje permitem.

Por outro lado, não há, por parte dos produtores, maiores compromissos com as consequências do que é levado às telas. Em geral, a preocupação é quase que exclusivamente com lucros (e quanto mais melhor), de modo que, se a violência "vende", é violência que teremos para ver.

Que influências a exposição continuada a esse tipo de imagem pode trazer para nossos filhos?

Os especialistas no assunto apresentam-se divididos em duas correntes opostas: um grupo acredita que assistir a muitas cenas de morte, espancamento, assassinato, tortura, estupro etc. banaliza a violência, fazendo com que ela seja vista com naturalidade, como uma coisa normal. Daí resultaria uma atitude de aceitação da violência como algo normal, como alguma coisa que inevitavelmente ocorre e deve ocorrer na nossa sociedade. É como se adormecessem os sentimentos da pessoa. De tanto ver a brutalidade, ela deixa de chocar, de evocar nossos mais altos sentimentos de humanidade, solidariedade e respeito ao próximo, passando a ser algo corriqueiro, normal, esperado até. Alguns vão mais longe, acreditando que a exposição sistemática a cenas de violência poderá desencadear o processo mais precocemente naqueles que já tenham uma tendência antissocial ou patológica ainda não manifestada.

O outro grupo de sociólogos e psicólogos acha, ao contrário, que o homem tem mecanismos de defesa e de superação de situações adversas tais que fariam com que essa exposição resultasse em posturas antiviolentas, numa oposição a ela.

Assim, os pobres pais, lendo e se informando, deparam-se com ideias diametralmente opostas. Perguntam-se angustiados: Onde estará a verdade? E será que ela é uma só para todos os indivíduos? Será que todos os homens podem ser enquadrados de uma mesma forma? Será que a reação de todos é a mesma com relação à exposição à violência?

Enquanto os especialistas não realizam estudos que provem de forma irrefutável qual a corrente que está com a razão (se é que há uma corrente com toda a razão), nossos filhos crescem, e nós nos atormentamos querendo uma resposta. Precisamos tomar atitudes agora. Nossos filhos já estão aí, no mundo, sofrendo toda sorte de influências! Não podemos deixar para amanhã. Precisamos de respostas concretas às nossas indagações. Temos que agir agora, hoje, já! Mas, infelizmente, não há respostas ainda.

Então só temos uma saída: tentar minimizar as consequências, seja qual for a corrente que esteja certa.

Como?

Em primeiro lugar, desenvolvendo o mesmo tipo de trabalho descrito na discussão sobre a atitude dos pais frente à televisão (ver capítulo 9). Temos que criar uma postura crítica nos nossos filhos, discutir com eles o conteúdo, as mensagens que lhes são impostas pelos meios de comunicação de massa (cinema, televisão, imprensa, rádio). É preciso que eles não confiem cegamente nas informações que lhes são passadas, que aprendam a pensar por si próprios. É preciso lhes dar armas para se defender da violência. Só que as armas que lhes vamos dar não atiram, felizmente... SÃO AS ARMAS QUE SÓ O PENSAR, O SENTIR, SÃO CAPAZES DE FORNECER.

Esse trabalho deve ser constante e atento, e é desenvolvido no dia a dia. Temos que estar sempre a postos para não perder as oportunidades de desenvolver essa capacidade. Pensar por si é uma habilidade que se desenvolve vagarosamente, sobretudo nos jovens que não têm o hábito da leitura e que, portanto, são muito mais suscetíveis a influências externas. Dá muito trabalho e exige muita dedicação por parte dos pais. Mas vale a pena, porque o resultado é muito positivo, embora leve anos para apresentar frutos. Portanto, não há que desanimar nem ter pressa. Ao contrário, há que perseverar para conseguir o que desejamos.

As crianças não devem perceber o trabalho que está sendo feito, o que implica muita habilidade por parte dos pais. O trabalho a ser desenvolvido deve ser feito de forma sutil e inteligente. É preciso evitar que esses "papos" com as crianças se tornem chatos, moralistas ou excessivamente didáticos. Se eles tiverem a impressão de que estamos lhes dando aulas ou "lições de moral", nossos esforços serão inúteis.

Além disso, é importante também que os pais exerçam algum tipo de controle sobre os filmes e programas a que os filhos assistem. Essa é uma outra tarefa hercúlea dos dias de hoje. Nossos pais não precisavam se preocupar com isso, mas nós precisamos, e muito. Por exemplo, enquanto a criança é muito pequena, é bom evitar que assista aos noticiários, que, em geral, só apresentam tragédias, terremotos, guerras, assaltos. Isso não significa que, se algum dia ela estiver na sala na hora em que o programa esteja no ar, você deva proibi-la de ver ou a obrigue a sair correndo dali. Caso contrário, ela vai pensar que está perdendo alguma coisa muito, mas muito importante, e vai querer, a todo custo, assistir.

O que deve ser evitado é o excesso, o massacre a que as crianças são submetidas diariamente. Se uma vez ou outra ela vir, não há problema, é até positivo, porque não podemos esconder o mundo dos nossos filhos, e nem devemos, porque senão, quando o encontrarem, terão um choque... O que prejudica as crianças é o exagero. Há pais que desde que a criança esteja quietinha, permitem que assista horas e horas consecutivas à televisão. Outros, quando as crianças ainda nem sabem ler, já as estão levando ao cinema para ver filmes legendados...

O equilíbrio e o bom senso devem prevalecer sempre.

É saudável ter tempo para viver cada momento da vida, cada etapa, cada uma delas de acordo com o desenvolvimento intelectual e emocional correspondente às diferentes etapas do desenvolvimento. Há pessoas que agem com os filhos (e consigo próprias também) como se cada minuto fosse o último a ser vivido. Daí essa pressa, essa necessidade de viver tudo rapidamente. Outros fazem por mera competição, por um sentimento de ganhar do outro, de "passar a frente" do outro, seja ele seu amigo, seu vizinho ou seu parente. É preciso que os pais reflitam e reconheçam quais são suas reais motivações ao tomarem determinadas atitudes. POR QUE QUEREM QUE SEUS FILHOS CRESÇAM ANTES DO TEMPO? Essa pressa lhes trará felicidade, realização? Ou simplesmente está sendo confortável deixá-los em frente à TV enquanto aproveitamos o tempo para nós?

Sou a maior defensora dos pais. Acho que, em sua maioria, lutam para fazer o melhor que podem pelos filhos. Preocupam-se, cuidam, dão amor. Cansei de ver muitos e muitos especialistas acusando-os como se fossem os maiores inimigos dos filhos. Portanto, posso falar com isenção: algumas vezes os pais sentem-se cansados, desgastados e inseguros. Por isso, adotam posturas comodistas frente aos filhos. Se eles estão quietinhos vendo televisão, deixam-nos lá, porque querem aproveitar esses momentos para descansar ou adiantar algum trabalho acumulado. Entretanto, muito embora entenda o quanto é cansativa a atividade dos pais, não justifico que nos acomodemos EM HIPÓTESE NENHUMA. Temos que estar sempre atentos. Por isso, por mais difícil que seja, não podemos deixar de executar mais essa tarefa: dosar o que nossas crianças assistem no cinema, na TV, no vídeo. Não deixar de discutir com elas, sempre que possível, o conteúdo do que elas veem, para que, aos pouquinhos, adquiram a consciência crítica, a capacidade de análise e a avaliação, para que não se tornem marionetes nas mãos daqueles que só têm interesses financeiros ou que só se interessam por elas como prováveis consumidores de seus produtos.

Este é um trabalho árduo e longo, cansativo e difícil, mas que tem uma importância fundamental no desenvolvimento saudável e equilibrado dos nossos filhos.

CAPÍTULO 14

Vovós que "estragam" os netinhos

☙

*Como resolver o problema das crianças
que têm que ficar com os avós, que dão
orientação totalmente diferente da nossa?
Essa dualidade pode provocar problemas?*

Orientações muito contraditórias *podem* ser fonte de problema para as crianças. Entretanto, é impossível dizer se VÃO MESMO DAR PROBLEMA OU NÃO.

Uma das grandes preocupações dos pais de hoje é pensarem excessivamente nos aspectos psicológicos. Isso é motivo de tanta ansiedade, consciente ou não, que, muitas vezes, transforma em problema as coisas mais simples, inviabilizando uma análise mais equilibrada de certas situações.

Essa questão dos avós, mais especificamente da vovó que cuida do netinho dentro da famosa máxima "pai é pra educar; vó é pra estragar, mimar, fazer vontades", pode ser realmente bastante exasperante para os pais, que já têm tanta coisa contra que lutar — televisão, consumismo, palpites de amigos etc. Um novo fator contrário pode ser a gota d'água no equilíbrio familiar.

Felizmente, as crianças são bem mais providas de recursos do que imagina a maioria das pessoas.

Elas aprendem, por exemplo, a reconhecer e diferenciar atitudes e orientações diferentes com uma facilidade incrível. Por exemplo, se a mamãe, em casa, lhes ensina a não pisar com os sapatos nos sofás mas a vovó, em contrapartida, o permite, o comportamento delas mostra-se, no mais das vezes, adequado a cada ambiente ou situação. Quer dizer, na casa da mamãe, não sobem com os sapatos nos sofás, na casa da vovó, sim.

Isso só se torna problema quando os pais, por estarem inseguros, por não saberem dizer um "não" com segurança, ficam em dúvida sobre o assunto simplesmente porque outra pessoa agiu de forma diversa da deles. Como a vovó deixou, eles não sabem mais se é ou não correto, justo ou adequado tentar preservar os sofás da casa. Começam a sentir culpa, mal-estar. Então, numa atitude compensatória, começam a criticar a vovó: "Ela atrapalha"; "Ela desfaz tudo que nós fazemos"; "Assim não dá para ninguém aprender nada" etc.

A criança, frente a dois comportamentos divergentes, a duas orientações diversas, tenderá a repetir aquela que lhe for mais conveniente, mais simpática ou mais agradável. Realmente, atitudes contraditórias atrapalham. Entretanto, tendo apenas muita segurança, os pais conseguem que o filho entenda qual a forma correta de agir em cada situação. O grande aliado da teimosia das crianças é a insegurança dos pais. Quando elas sentem que os pais estão em dúvida, aproveitam para usar esse espaço e continuar fazendo o que lhes agrada. Portanto, independentemente da "folguinha", da "proteção" exagerada que algumas vovós e vovôs dão a seus netinhos, eles saberão exatamente que a mamãe e o papai são diferentes da vovó e do vovô e, assim sendo, estabelecerão padrões de comportamento adequados a cada caso. Serão alegremente, ruidosamente bagunceiros na casa dos avós, e cuidadosos na sua própria.

Mas existe um lado muito importante a ser também analisado e que, parece, os pais vêm esquecendo, frente às angústias e inseguranças do dia a dia: é um lado tão maravilhoso do

EDUCAR SEM CULPA

ponto de vista emocional para os nossos filhos que não posso deixar de fazer menção a ele.

No afã de dar aos filhos a melhor orientação (e o menor número possível de traumas...), os pais vivem problematizando situações que, na maior parte das vezes, não carecem de tanto cuidado. No caso das mães que trabalham fora e, por isso, deixam seus filhos com a avó, ocorre muito esse problema — a filha ou nora julga que a vovó está "estragando" seu filhinho e se angustia muito. Entretanto, como não tem outra possibilidade, continua no esquema, apenas aumentando a cada dia os conflitos e os questionamentos. Na verdade, muitas vovós são de fato excessivamente permissivas. Mas tenho visto também muitos casos opostos — pais tão permissivos que os avós é que tentam colocar algum limite nos netos.

Mas que aspecto maravilhoso é esse afinal? É o do AMOR. O de pensarmos no quanto é bom para o ego dos nossos filhos ter uma vovó e um vovô que vivem "babando" os netinhos, achando tudo que eles fazem divino, engraçadíssimo, inigualável. Lembro-me sempre, quando falo disso, da minha sogra. Ela era do Norte, nascida no Amazonas, e morou toda a vida no Amapá. Por essa época, tive meu filho mais velho, que foi, também, o primeiro neto. Só quando meu sogro faleceu é que ela veio residir no Rio. Ela vinha vê-lo religiosamente às sextas-feiras, dia em que chegávamos, meu marido e eu, mais cedo em casa. Vinha à tarde, para brincar com o neto. A chegada era triunfal: não tinha uma vez que não chegasse com algum brinquedinho ou doces. Eu, mãe zelosa, tentava com a maior polidez e educação mostrar a ela que "não era bom" sistematizar as coisas dessa forma, porque poderia "acostumar mal" o meu filho. Temia que ele se tornasse de certa forma mais interessado no que iria ganhar do que na presença da avó propriamente. Claro que foi em vão... Ela era uma pessoa muito livre consigo própria, muito dona de seu nariz, e, nessas horas, me olhava, olhava — e soltava uma sonora gargalhada... Na próxima visita, chegava carregada do mesmo jeito.

Aos domingos, íamos sempre almoçar com ela. Para os netos, havia uma gaveta enorme na cômoda da sala, cheia de todos os bombons, chocolates, balas e chicletes preferidos de cada um. Era uma correria quando chegávamos — a criançada, que antes de mais nada se precipitava para o gavetão, ansiosa, a ver se a vovó providenciara tudo, como sempre. E, como sempre, ela nunca os decepcionou.

Cheguei a me preocupar um pouco com isso, como disse, mas depois, olhando melhor a relação que meu filho tinha com a vovó, concluí que era uma grande bobagem preocupar-me. Porque o que ela dava não era doce ou brinquedo — era muito amor, muita alegria, juntamente com muito doce e muito brinquedo.

Ela faleceu quando meu filho era bem pequeno. Ele ia fazer dez anos ainda. Mas, até hoje, quando se fala de avó, ele sempre diz que tem que ser gordinha, muito cheia de peito e de riso, fazer crochê e tricô, usar vestido estampado, ser macia, de óculos... Enfim, ele sempre descreve a vovó que lhe ficou na memória e no coração...

Então, vendo os pais tão preocupados com os "estragos" que os avós fazem, eu lhes pergunto: Não estaremos nos preocupando demais? Qual é a avó ou avô que REALMENTE FAZ MAL AO NETO? Será que o que dão de atenção, carinho, estímulo não é muito, mas muito mais benéfico do que o suposto mal que fazem deixando que subam de sapatos no sofá?

Além disso, temos todo o tempo para mostrar-lhes o que devem ou não fazer. É a nossa tarefa realmente. Como disse, sendo seguros do que queremos e, sobretudo, coerentes e persistentes, nossos filhos aprenderão o certo e o errado. Mas terão, por outro lado, o saldo imensamente positivo da convivência com a vovó amorosa, que os "estraga" um pouquinho sim, mas que nos devolve uma criança que se sente imensamente querida.

Entre deixar nossos filhos com babás, pessoas em geral despreparadas e que não têm, no mais das vezes, afeto pelas crianças de que cuidam, e os avós, digo sempre: felizes daqueles que contam com essa ajuda inestimável. Para que procurar problema em tudo? As pequenas correções que tenhamos de fazer ainda serão muito pequenas e insignificantes frente aos benefícios que eles trazem aos netinhos.

Até por um mecanismo de compensação, já que nos cabe a tarefa repetitiva e desgastante de educar nossos filhos, deixemos que eles tenham um refúgio na casa da vovó ou do vovô. Garanto que, se eles acharem que as crianças estão passando dos limites, agirão. Afinal, são adultos... E não foram eles que nos educaram?

CAPÍTULO 15

Quando a culpa é sempre dos filhos dos outros

ೞ

O que fazer no caso de pais que transferem para outros as culpas ou os erros de seus filhos? Por exemplo: ele chutou porque o provocaram, ele bateu porque bateram primeiro nele.

"Quem ama o feio, bonito lhe parece." Este famoso dito popular pode ilustrar muito bem a pergunta.

No caso, mais que à beleza, estamos nos referindo ao amor, que, em muitos casos, impede uma visão mais objetiva, menos contaminada por parte dos pais. Freud já apontava, décadas atrás, a "percepção seletiva", quer dizer, as pessoas veem ou percebem apenas aquilo que o nível consciente lhes permite.

O "amor cego" é até bom para as crianças, por um lado, porque as faz amadas independentemente de serem belas, perfeitas fisicamente, inteligentes ou não. Não importa que valores a sociedade coloque, os pais amarão seus rebentos e neles enxergarão coisas que ninguém jamais verá. É a famosa fábula da mãe coruja... Nossos filhos sempre são os mais bonitos, os mais fortes, os mais inteligentes etc. Sempre digo e repito que é muito, mas muito bom mesmo ter uma mãe ou pai que nos ama acima de tudo, que vê na gente coisas tão incríveis que nem mesmo a gente acredita. Não importa o que digam ou falem sobre "supermães", "mães castradoras" ou outros apelidos pejorativos. Sempre acho que é muito bom tê-las. Ape sar de todas as críticas que lhes fazem, o saldo é muito mais positivo do que negativo.

Entretanto, esse lado bom do amor cego tem também o reverso da medalha (como tudo na vida), se se considera a insegurança dos pais de hoje quanto à melhor forma de educar, ao que deve ou não ser proibido/permitido, a quando estabelecer ou não limites, enfim, à atuação mesma do dia a dia com a criança.

É fácil compreender que, estando inseguros e além disso culpados com relação aos filhos, qualquer "queixa" que os filhos sofram os abala muito. É como se eles se sentissem, nessas situações, fracassando. Por exemplo, se um vizinho vem à sua casa e pede providências porque seu filho quebrou o brinquedo do amiguinho ou o agrediu fisicamente, o pai inseguro sente isso como uma crítica ao seu trabalho de educador. É como se lhe estivessem dizendo: "Você não sabe dar educação a seu filho."

E, às vezes, estão mesmo. O que faria um adulto equilibrado nessa hora? Ouviria o vizinho, a reclamação, e, polidamente, comunicaria que seriam tomadas providências a respeito. Pronto. Terminada a primeira etapa. A seguir, como pessoa justa e madura, ouviria seu filho a respeito da questão e então o orientaria da forma mais conveniente.

Mas o que vemos acontecer hoje? Com muita frequência, a queixa é pessimamente recebida, e, não raro, dali surge uma briga sem tamanho que por vezes até resulta em rompimentos graves. Em seguida, a reação é acusar, agredir com frases como: "Aqui em casa meu filho não faz nada disso; ele é supercalmo, só pode ter sido provocado pelo seu." É claro que se trata de uma atitude de defesa, de uma atitude de pessoa que está insegura. Atacar para não ser atacado.

Esse tipo de atitude dos pais tem sido muito comum também com relação à escola. Se a escola chama o pai de uma criança que teve alguma atitude inadequada, em geral a reação é de não aceitação. Parece que, nessas horas, família e escola são inimigas, e não duas agências educacionais das mais importantes, que devem agir unissonamente, em conjunto, em prol de um objetivo comum. Os pais se apressam em culpar a escola, afirmando, categoricamente, que em casa seu filho jamais fez algo semelhante, seja lá o que esse *algo* for.

Por uma questão de justiça, devo dizer que algumas escolas, por vezes, também se apressam muito em chamar os pais, devolvendo à família toda a responsabilidade pelos atos da criança. Muitas vezes, é preciso salientar, a criança faz determinadas coisas para mostrar que não está feliz, que não concorda com alguns aspectos internos do colégio. Aí cabe realmente à escola resolver os problemas que lá ocorrem, desde que não sejam de tal monta ou que de tal forma se repitam que indiquem a necessidade de a família ser comunicada para poder participar da resolução do problema. Mas essa é uma outra questão. Por aqui, vamo-nos ater àqueles em que a escola chama o pai porque é necessário, ou o vizinho se queixa porque a criança realmente agiu de forma inadequada.

No caso, as questões básicas são:

1. Devemos defender nossos filhos sempre, a qualquer custo, seja qual for a queixa, parta de quem partir, escola, vizinhos, amigos?

2. Será a melhor maneira de demonstrar nosso amor por nossos filhos?

3. Por outro lado, será essa a melhor maneira de educá-los?

Com relação ao primeiro item, a resposta, EM PRINCÍPIO, é SIM. Só que "defesa" implica "ataque". Cabe ao adulto estabelecer as diferentes situações. Saber quando realmente nossos filhos estão sendo "atacados" e quando se trata de um pedido de ajuda, de uma advertência e até mesmo da conscientização de alguns pais sobre as reais atitudes de seus filhos quando longe de casa (que eles, pais, podem até mesmo ignorar). Quer dizer, antes de deixarmos o sangue nos subir à cabeça e sair agredindo quem veio nos falar sobre nossos filhos, deixemos a razão aflorar — DESARMEMO-NOS. Não estão nos criticando obrigatoriamente, e, mesmo que o estejam, todos nós somos passíveis de críticas; nenhum de nós é perfeito. Outra coisa: nossos filhos são nossos filhos, NÃO SÃO NÓS... Quer dizer, somos responsáveis por eles e por seus atos até a maioridade, mas, de todo modo, não somos eles. Por isso, joguemos de lado as culpas, o medo da crítica, a insegurança, e ouçamos, sem preconceitos, o que vêm nos contar sobre aqueles que julgamos conhecer como a palma de nossa mão... Muitas vezes, nos surpreenderemos descobrindo o quanto eles são mais complexos do que julgamos.

AO CRIARMOS BARREIRAS PARA OUVIR, PERDEMOS CHANCES IMPORTANTES DE DESCOBRIR COISAS ÀS VEZES MUITO IMPORTANTES SOBRE ELES. Talvez depois, quando finalmente o reconhecermos, poderá ser tarde demais.

Se é a escola que nos chama, ouçamos o que tem a nos dizer. Se é um vizinho ou amigo cuja integridade conhecemos, por que não ouvi-los? Pode ser de grande valia para nossa relação com os filhos. Jô Soares, com sua extrema sensibilidade de comediante, criou um tipo inesquecível que retratava isso. Usando o bordão "tem pai que é cego", tornou popular a figura daqueles que, mesmo tendo à sua frente a verdade, não a querem enxergar. Deixando de saber de coisas importantíssimas por "excesso de amor", impedem-se de agir a tempo, de remediar, aconselhar, enfim, de estar verdadeiramente junto dos filhos.

Outra coisa importante é ouvir a versão de nossos filhos: dar-lhes crédito é muito importante, mas ser cego é outra bem diversa; e, por mais incrível que nos pareça, nem sempre eles nos dizem *toda* a verdade. Não que ajam de má-fé, mas muitas vezes eles só nos contam aquilo que mais os incomodou, omitindo exatamente o que incomodou os outros e que pode ser a raiz de todo o problema surgido.

Como saber a verdade se temos duas versões diferentes? Por outro lado, como agir para que nossos filhos não achem que não confiamos neles?

Mais uma vez, repito, não tenho fórmulas, mas uma coisa que funciona e que sempre usei foi, em primeira instância, tentar manter-me neutra e contar-lhes a versão recebida anteriormente à deles. Em geral, isso funciona como uma espécie de "despertador", e eles começam a falar de outros aspectos que desprezaram na primeira versão. Com algumas perguntas, formuladas de forma clara e sem agressividade ou tons de acusação, eles contam uma série de outras coisas. Assim, você terá mais chance de julgar e debater com eles o acontecido. Só então poderá ser tomada alguma decisão a respeito. Poderemos então julgar se o nosso filho tinha ou não razão. E veremos que umas vezes ele a tinha, e em outras não. Humano, como todos nós... Só isso, nada que nos desprestigie ou macule a nossa autoimagem.

Quanto ao segundo item, acho que a melhor forma de demonstrar amor pelos filhos é simplesmente amando-os. Parece lugar-comum, mas é assim mesmo que se ama. Amando.

Sendo carinhoso, amável, ouvindo-os, tendo tempo para eles, respeitando-os. Mas também a melhor maneira de demonstrar amor é dar segurança, "estar com", mostrar-lhes o mundo, o respeito pelo outro. Porque desta forma estaremos preparando-os para serem AMADOS POR OUTROS TAMBÉM, NÃO SÓ POR NÓS (tem crianças que são tão mal-educadas, possessivas, tiranas mesmo, que só mesmo seus pais as podem amar. Nem os avós as querem por perto). Então, se as ensinamos não só a serem amadas mas também a amar o outro, aí sim, estaremos dando-lhes um amor muito mais completo.

Quanto ao último item, só posso responder dizendo que a melhor forma de educar é aquela que nos permite ver nossos filhos crescerem produtivos, seguros, responsáveis, respeitadores, capazes de amar e de ser amados, cidadãos honrados, enfim, TORNADOS SERES HUMANOS, no que de melhor esta expressão possa significar para cada homem em particular e para a sociedade em geral. E isso certamente não ocorrerá se não os virmos como realmente são, com suas qualidades e defeitos, com suas capacidades e limitações. Não será cegando-nos que lhes daremos a chance de construírem um futuro melhor para si próprios e para todos os demais de sua geração. Não será fingindo não ver seus erros que os conduziremos a um caminho ético. Não será passando sempre a mão em suas cabeças que lhes ensinaremos o respeito pelo outro e, em decorrência, por si mesmos.

ENFIM, SEJAMOS JUSTOS NÓS MESMOS PRIMEIRO, PARA QUE NOSSOS FILHOS O POSSAM SER NO FUTURO.

CAPÍTULO 16

Meu filho tem tudo, mas vive insatisfeito

ℭℨ

*Por que uma criança que tem conforto
material, boa escola, alimentação,
atenção dos pais é insatisfeita?
Por que ela não produz como devia?*

Esse é um problema sério. Porque envolve o desejo dos pais de que "tudo dê certo" para seus filhos.

Em geral se acredita que dando atenção, carinho, amor, segurança material, boa escola, saúde, brinquedos etc. a criança será feliz e tudo correrá às mil maravilhas.

Que ótimo se fosse assim! Tão simples, tão causa e efeito... Mas não. Em primeiro lugar, as percepções são diferentes. Isso implica que, mesmo dando o melhor de si, os pais nunca poderão ter certeza de que seus filhos verão as coisas do mesmo modo que eles. Vai depender de inúmeros fatores. Pela própria natureza das pessoas, umas são mais tranquilas, outras mais insatisfeitas, inquietas. Portanto, numa mesma família, irmãos que têm o mesmo em termos materiais e emocionais veem de forma completamente diversa o atendimento às suas necessidades. Um poderá achar que tem tudo e nada lhe falta. O outro poderá achar que tem muito pouco.

Outro elemento que influencia é a convivência, o meio em que a criança vive. Se a sua família está sempre em contato com pessoas que têm um poder aquisitivo muito mais alto que o seu, ou que adotam uma linha tal com os filhos dando-lhes tudo que desejam (materialmente falando, e também do ponto de vista de liberdade), o seu filho, por comparação, mesmo tendo tudo de que precisa, pode sentir-se privado.

Por exemplo, alguns pais proíbem certo tipo de programas (como ir a uma boate aos onze anos, por exemplo), enquanto outros não só permitem como também o incentivam. Para algumas crianças, isso que estão perdendo é simplesmente "o melhor do mundo"; outras reagem de forma bem mais tranquila a essas diferenças.

Esse problema da percepção de cada um dificilmente se consegue resolver. Às vezes, com o tempo e a maturidade, eles próprios mudam. Mas não há muito o que fazer em relação a isso. Muitos pais, frente às constantes reclamações, lamentos e insistência dos filhos, acabam se sentindo obrigados a ceder e conceder tudo que os vizinhos e amigos concedem. Às vezes isso pode significar um sacrifício em termos financeiros para toda a família ou se deixar de lado a aquisição de bens mais significativos. Mesmo assim, muitos pais o fazem, pensando em "não deixar seu filho por baixo". É uma opção, mas será que é a melhor para a criança?

Como pais-educadores, acredito que o que de melhor podemos fazer é tentar mostrar aos nossos filhos, principalmente sendo das classes mais abastadas, a realidade da vida da maior parte dos brasileiros e de outros cidadãos do mundo. Mostrar-lhes que pertencem a uma minoria privilegiada, que têm tudo de que precisam para viver bem e com dignidade. REVITALIZAR VALORES MAIS ALTOS QUE NÃO UNICAMENTE O DESEJO DE TER, TER E TER SEMPRE E SEMPRE MAIS COISAS. Enfim, combater a alienação que os impede de ver a realidade que os cerca.

Outra coisa que podemos fazer é não aceitar as chantagens que eles nos fazem. Ah, e como o fazem bem!... "Todo mundo

EDUCAR SEM CULPA

vai!"; "Só você que não deixa!"; "Até o pai da fulana comprou". Essas e outras afirmativas povoam a nossa vida. Só que você, adulto, responsável e seguro do que deseja transmitir, não se deixará levar por esse tipo de coisa. A não ser que não esteja realmente seguro ou esteja competindo com os outros pais, e não educando seus filhos segundo seus próprios critérios.

Existem também as diferenças individuais. O que significa dar "todo o conforto", "toda a atenção"? Justamente pelas diferenças entre os indivíduos, o que é o máximo de carinho que uma pessoa pode dar pode ser muito pouco para a que recebe, e para outra, excessivo e até "meloso".

Também nesse aspecto é muito pouco o que pode ser feito. Jamais teremos um filho igual ao outro. Os meus dois, por exemplo, são como água e vinho. Portanto, cada um me vê e ao meu marido de formas distintas. Eu mesma os vejo de forma diversa da que eles se veem e da que meu marido os vê.

A que chegamos então? Cruzamos os braços? Não. Evidentemente, o que foi colocado aqui tem a grande valia de tranquilizar os pais sobre as diferentes reações dos filhos em relação aos fatos da vida diária.

Assim, mais tranquilos, podemos falar sobre o papel da educação. É esse o espaço de que dispomos para agir.

A forma pela qual vivemos as relações dentro de nossa casa vai influenciar, inegavelmente, nossos filhos. Grandes educadores o comprovaram em seus estudos: John Dewey, Maria Montessori, Jean Piaget, Vigotsky, ainda que de formas diversas, ao elaborarem suas teorias, consideraram o poder do meio, o qual, evidentemente, pode auxiliar ou comprometer o desenvolvimento do indivíduo. Se não acreditássemos que a educação tem algum poder, o que estaríamos fazendo, nós, educadores, nas escolas?

A herança genética, a personalidade são fatores determinantes no comportamento, sim. Mas a ação do meio pesa, alterando a relação de forças.

Se a família estiver alicerçada em alguns princípios educacionais, se os pais estiverem realmente imbuídos da importância da transmissão de valores aos filhos, se tiverem um mínimo de segurança e de clareza de objetivos, excelente! Porque, sem dúvida, seus filhos se espelharão em seus exemplos, em suas atitudes e forma de encarar a vida.

Partindo, pois, dos pressupostos acima, o que podem os pais fazer para que os filhos não se sintam insatisfeitos, excluindo a parte que reflete as características individuais e a percepção pessoal que citamos?

A meu ver, devemos preservar para nossos filhos alguns sonhos e desejos. As classes média e alta de tal forma "lambem", mimam seus filhotes, de tal forma se antecipam em "dar tudo aos filhos" que, muitas vezes, eles não conseguem ter oportunidade de sonhar, de desejar, e — mais importante — de lutar para conseguir o que almejam.

Na infância, cada *merchandising* que aparece na TV e que agrada aos pimpolhos é rapidamente transformado em realidade. Tem pais que nem sequer esperam o aniversário, o Dia da Criança ou o Natal. Todo dia é dia de fazer as vontades dos filhos. Não, não me considerem uma "bruxa"! Não desejo, nem preconizo que se deixe a criança passar necessidades. Nem físicas, nem materiais. Defendo sempre que se dê muito amor, muita atenção, tempo, comidinha gostosa, carinho, amizade, orientação, tudo enfim de que eles precisam. Mas defendo também que nós adultos tenhamos um pouquinho de equilíbrio quando interpretamos esse "tudo o que eles precisam". Será que eles precisam TER TUDO LOGO SEMPRE? Ou não será saudável deixá-los sonhando uns meses, enquanto não chega, por exemplo, o dia do aniversário, para, então sim, dar a bicicleta pedida?

Aos dez anos, a criança de classe média já está cansada de ir a restaurantes, parquinhos de diversões, teatrinhos. Isso tudo para elas é "café pequeno". Não as emociona mais. Então, começam a querer outras coisas. E os pais começam a levá-las às discotecas. Morrendo de medo, porque pode ter rapazes mais velhos, drogas, ou sabe-se lá o quê mais... Mas levam... Não sabem dizer não. Abreviam a infância dos filhos, porque os vizinhos o fazem, os coleguinhas da escola também, e porque já esgotaram tudo que podiam lhes dar.

Uma viagem à Disney World? Ah, já foram umas três vezes... A primeira, provavelmente, ainda bebê de colo (dormiu o tempo todo, no colo da mamãe ou do papai). A segunda com idade para apenas considerar tudo aquilo um simples parque de diversões. A terceira, quando poderia realmente "curtir", foi provavelmente sem os pais, em grupo de amigos, porque o prazer era, na verdade, "ir sem os pais, muito caretas, chatos, que não deixam fazer nada"...

Aos dezoito, o rapaz ganha seu primeiro carro. Muitos, aos dezesseis, já estão por aí dirigindo sem carteira, ilegalmente. Com o consentimento (e o orgulho) dos pais. Nas cidades do interior, essa é uma prática bastante comum. Bem como bastante comum a morte por acidentes automobilísticos. Mas acontece também nas grandes cidades.

Alguns pais, orgulhosíssimos de suas crias, apressam-se a mostrar-lhes, bem-sucedidos economicamente que são na vida, que "tudo um dia será seu, meu filho!". A fábrica, a loja, o apartamento...

E assim, aos poucos, ainda nem terminada a adolescência, muitos jovens estão enfastiados da vida. Não têm preocupações quanto ao futuro. Sabem que o papai está aí... Não precisam lutar por nada. Tudo lhes foi oferecido em bandeja de prata. E rápido, rapidinho mesmo. Não deu nem para sonhar, para idealizar o objeto do desejo...

Com a vida toda resolvida, com uma bagagem de viagens e bens nas costas e o futuro financeiramente garantido, o jovem, o adolescente de repente percebe não ter pelo quê lutar. NÃO TEM O QUE DESEJAR, NEM PELO QUÊ SONHAR. E aí a insatisfação cresce. Muitas vezes começam a beber, para sentir alguma emoção nova. Depois são os tóxicos, enfim; qualquer coisa que possa lhes fazer vibrar o coração, a pele, a alma.

Não quero estabelecer relação de causa e efeito, porque não acontece com todas as pessoas que têm muito, materialmente falando, e seria simplista atribuir problemas tão complexos a uma causa única. Mas acontece com bastante frequência nos dias de hoje. Não seria bom repensar um pouco esse excesso de pressa que os pais vêm demonstrando ultimamente? Pressa de dar coisas, MUITA PRESSA DE DAR COISAS MATERIAIS. Pouca paciência ou segurança para ENSINAR A SER, A TER VALORES, A RESPEITAR O OUTRO. E, o que é pior, POUCA OU QUASE NENHUMA CORAGEM DE SER DIFERENTE do vizinho, do amigo ou dos parentes. Se um mandou o filho à Europa, ele também o faz, "para não ficar atrás". É a competitividade conduzindo nossas vidas.

São esses os valores que estão sendo passados como primordiais aos jovens da geração atual. E depois, quando eles abandonam os estudos, por exemplo, a primeira frase que se ouve é: "Mas eu sempre dei tudo a ele"; "Sempre fiz tudo que ele queria"... Não terá sido esse o erro?

Na verdade, os sentimentos do outro são realmente DO OUTRO. Muito pouco podemos fazer para modificá-los. Então, o que os pais podem fazer é ter clareza do que pretendem com seus filhos. Para tanto, é preciso que se conscientizem de fatos básicos, que lhes permitam uma reflexão crítica sobre como vem se desenvolvendo sua vida familiar, sobre quais são os sentimentos que vêm ditando suas atitudes.

Os pais, por terem abandonado um modelo antes de ter um outro, começaram a resolver grande parte de suas dúvidas e incertezas através das coisas materiais. Cada vez que se sentem culpados ou inseguros, se redimem trazendo para os filhos novos brinquedos, roupas, álbuns de figurinhas, revistinhas, fitas de videogames etc. É mais fácil, é cômodo e, à primeira vista, dá a impressão de que funciona. Realmente, naquele momento a criança fica feliz, encantada. Mas, aos poucos, vai aprendendo que o seu valor pessoal é muito pequeno. O seu e dos seus pais e irmãos também. O que vale são AS COISAS QUE TEM, AS QUE GANHA E, PRINCIPALMENTE, AS QUE AINDA NÃO TEM. Então, é um tal de pedir mais e mais, querer novos brinquedos, novas roupas, novas fitas... Porque na verdade não se satisfaz nunca a necessidade de atenção, de segurança, de conversa amistosa, de cumplicidade pai/filho, quando em seu lugar se colocam presentes e mais presentes, roupas e viagens e muito, muito dinheiro... Talvez aí esteja a chave da insatisfação que vemos na nova geração. Por mais que tenham e ganhem, parece que sempre lhes falta algo. Não será alguma coisa pela qual lutar?

CAPÍTULO 17

Ciúme entre irmãos

છ

*O que fazer quando o ciúme entre irmãos é evidente?
Como agir quando, tendo um irmãozinho mais
novo, mesmo dando muita atenção e carinho,
a criança continua rebelde e agressiva?*

*E*m primeiro lugar, é preciso saber que o ciúme entre irmãos sempre existe. Para grande alívio dos pobres pais, que já vivem se culpando de tudo, o ciúme, evidente ou recalcado, é natural. Por melhor que os tratemos, com a maior igualdade, sempre existirá ciúme entre irmãos.

Por quê? Perguntam-se angustiados os pais diante das agressões verbais ou físicas entre seus filhos. "Parecem inimigos", dizem-me alguns angustiados. Sentem uma espécie de dor moral ao presenciarem os filhos "atracados". É como se não tivessem trabalhado convenientemente; como se não tivessem conseguido lhes passar a noção de família — conjunto de seres que se amam, se defendem, se protegem (pelo menos idealmente).

Para melhor compreender o porquê da questão, pensemos o seguinte: quem são as pessoas mais importantes na vida de uma criança? O pai e a mãe. Eles são a fonte primeira de amor, segurança, atenção, comida, calor. É deles que advém tudo de que eles precisam para sua sobrevivência. Sendo, como são, os filhotes do homem os animais mais indefesos da natureza, é de se compreender o quanto esta ligação é fundamental. Trata-se da própria sobrevivência. E o instinto da sobrevivência é dos mais fortes. Todo primeiro filho é, por algum tempo (pelo menos por nove, dez meses), filho único. Reina, impávido colosso. Tem a mãe e o pai só para si. Tudo que faz é visto, analisado, aplaudido. Coisa boa de doer!... Aí, de repente, sem mais nem menos, inclusive sem que ao menos fosse consultado — vejam! —, lhe chegam a mamãe e o papai com aquele ar todo pomposo comunicando a chegada de um irmãozinho. Ele talvez nem saiba ainda direito o que é isso — irmãozinho —, mas só pelo jeito como lhe foi comunicado, já sente perigo no ar... Afinal, quando lhe trazem presentes, brinquedos ou outras coisas nunca comunicam antes — e não COM AQUELE JEITO! Depois ele vê a mamãe ir pouco a pouco, engordando, engordando. Vê o papai acarinhar-lhe a barriga, colar-lhe o ouvido e ficar olhando para a mamãe com um jeitão esquisito, esquisito... Ih, aí vem coisa!

Quando o nenê chega, então finalmente ele compreende que suas apreensões tinham razão de ser. Afinal, todos, mas todos mesmo, desde os pais, avós, até a empregada, as visitas, os parentes, os amigos, chegam em bandos para olhar, presentear, agradar, elogiar... A ELE!

Por mais cuidado que tenhamos, por mais que tentemos nos dividir, a verdade é que de fato a chegada de um bebê muda radicalmente a rotina da casa e, consequentemente, do primogênito também. Sem saber bem explicar, ele sente-se abandonado, roubado, inseguro. TENHA OU NÃO MOTIVOS REAIS PARA ISSO. Qualquer coisa que façamos o deixará preocupado, quase com certeza. Se o levamos para ficar na casa da madrinha ou da vovó ou a algum lugar em que ele adore ficar normalmente, nesse momento ele poderá achar "que o estão botando pra escanteio". Se o deixamos participar de tudo, justo para evitar tal sentimento, ele fica ressentido porque todos os preparativos afinal não são para ele — são para o outro.

Se se trata do filho mais novo, do segundo ou do terceiro, a problemática é a mesma. Quem tem ciúme sempre descobre uma nova perspectiva que o justifique. O caçula sente-se preterido porque "tudo é para o mais velho", o do meio acha que nem é o mais velho nem o caçula, e assim sucessivamente. O que fazer então?

Primeiro, INTERIORIZAR QUE O CIÚME EXISTE.

Segundo, entender que esse ciúme, mesmo quando não revelado, é NORMAL e, antes de tudo, É UMA APRENDIZAGEM importantíssima na vida de nossos filhos.

Terceiro, PARAR DE PROBLEMATIZAR EXAGERADAMENTE cada vez que o sentimento se manifesta.

Quarto, adotar uma atitude tranquila em relação a isso. Sim, porque quando compreendemos que nosso filho, através do ciúme, estará APRENDENDO A CONVIVER, A DIVIDIR, A NÃO QUERER SER SEMPRE O ÚNICO NA VIDA DAS PESSOAS, veremos esse problema de outro ângulo. Entenderemos também que da nossa forma de agir dependerá a normalização ou a deterioração da situação.

Quando os pais, percebendo o ciúme, ficam muito mobilizados, encarando como um fracasso pessoal seu, então a ansiedade toma lugar. Em vez de ajudar a criança a superar sua dificuldade, acabam misturando os seus sentimentos aos dela e piorando tudo. É como se eles se sentissem devedores do filho por terem tido outro nenê. É, mais uma vez, o medo de causar traumas ou problemas no filho se manifestando.

Para nossa tranquilidade e conforto emocional, é preciso TRATAR COM IGUALDADE E JUSTIÇA TODOS OS FILHOS. Não superproteger algum em detrimento de outros. Nos casos de diferença de idade, devemos evitar que os menores se prevaleçam disso. Ou vice-versa.

Não é muito raro os pais sentirem maior identificação ou simpatia por um dos filhos — o motivo alegado pouco importa ("é mais parecido comigo", "é mais obediente", "me ajuda tanto"...). Mesmo que seja difícil, devemos evitar as preferências: declaradas ou disfarçadas, os filhos as percebem. O tratamento privilegiado é uma das maiores fontes de ressentimentos; é um motivo real e concreto de ciúme entre irmãos e muita amargura nas relações. Não é bom nem para o mais amado, que não escolheu essa posição privilegiada, nem para o que se sente, com razão no caso, desprezado ou diminuído. Esse tipo de atitude dos pais pode conduzir a um entrave permanente no relacionamento entre os irmãos. Pode, inclusive, inviabilizar qualquer amizade entre eles.

Esse princípio da igualdade de tratamento às vezes não é imediatamente percebido pelas crianças, sobretudo quando estão tomadas pelo ciúme. Nesses casos, é comum haver distorções na percepção. A criança acha de fato que não tem o mesmo tratamento que os irmãos. O que importa é que nós, pais, saibamos que somos justos. Se não sempre, o mais das vezes... afinal, não somos infalíveis. Ter consciência de que fizemos o melhor é a chave para a nossa tranquilidade presente e futura. Porque, queiramos ou não, nossos filhos só serão amigos e se darão bem se assim tiver que ser. Nunca poderemos afirmar com segurança como será a relação deles no futuro. Então, façamos bem a nossa parte. O resto — só o futuro dirá... Mas nós — esse remorso, essa culpa, pelo menos, não a teremos...

A equanimidade é um pressuposto fundamental para afastar sentimentos de culpa em relação aos ciúmes dos filhos. Eles podem até reclamar, espernear, dizer-nos coisas completamente injustas, motivadas pelo ciúme, mas nós saberemos que agimos de forma adequada. Isso não resolve tudo, mas, sem dúvida, ajuda muito.

EDUCAR SEM CULPA

Outra coisa fundamental é AGIR DE FORMA A PROTEGER UNS DOS OUTROS. Para quem não tem filhos, pode parecer estranho ou exagerado, mas, para quem os cria ou criou, nada mais real. Quando muito pequenos, além de não saberem medir exatamente as consequências de seus atos, também não dominam o tamanho das emoções. Cabe aos pais evitar que, devido a essas limitações, as crianças se machuquem umas às outras. Não significa impedir que o ciúme se manifeste, mas que haja um limite, que não pode ser ultrapassado. Revelar os sentimentos é saudável para as crianças, porque as defronta consigo mesmas e permite-lhes elaborá-los. O que não se deve permitir é que se façam coisas que poderiam redundar em pre-juízo tanto para o agredido quanto para o agressor. Os pais de-vem procurar avaliar se não estão interferindo desnecessaria-mente na relação das crianças, por uma questão pessoal, de não suportarem encarar esse sentimento, sempre visto de for-ma negativa na nossa sociedade. Pensando de forma mais ob-jetiva, mais natural, terão apenas a tarefa de evitar confronta-ções físicas ou desrespeitos verbais que possam magoar e, consequentemente, macular de forma irremediável a relação.

A esse respeito, há um fato, engraçadíssimo, ocorrido na minha infância:

Estava eu recém-chegada a este mundo. Uns três meses? Por aí. Minha irmã mais velha deveria estar com dois anos e oito meses. Ela era linda, esperta, ativa. Todos paravam na rua para admirá-la — mamãe sempre conta, toda prosa. Tinha olhos muito azuis, um nariz perfeito, boca carnudinha e bem dese-nhada, cabelos castanhos levemente dourados, com pequenas ondulações nas extremidades.

Reinava absoluta até a minha chegada. "Quem seria aquele ser chorão, de cabelos ralos e dourados, olhos escuros, magrinho, magrinho?", perguntava-se. Diziam-lhe sorridentes:

— Olhe, Regininha, sua irmã! Não é lindinha?

Ela não achava. Achava muito "chata" e feia, isso sim. Antes, tinha um quarto só para ela, de repente tinham posto aquele negócio quadrado cheio de pequenas varetas e um grande pano transparente em cima (o que seria aquilo?) bem no lugar onde ela gostava tanto de ficar com as suas bonequinhas e brinquedinhos. Depois a mamãe tinha sumido por uns dias. A ela deixaram na casa da vó Paulina, de quem nem gostava tanto assim. Preferia a sua casa, a sua mamãe. Depois, quando finalmente, após três longuíssimos dias, vira a mamãe chegar para buscá-la, que felicidade! Até se esquecera daquela coisa esquisita, tomando parte do SEU quarto.

Mas, ai dela! Chegando toda feliz em casa, correra para o quarto e... LÁ ESTAVA EU! Dentro daquele negócio esquisito. Bem no quarto dela!

E assim, dia após dia, vinha tendo que compreender que "a visita" viera para ficar. Mais ainda — mamãe vivia cuidando DELA! Beijando ELA! Lavando ELA! DANDO O PEITO A ELA! Era demais... Tivera que suportar ainda uma batelada de visitas, todas carregando presentes — para ELA! Olhando para ELA...

E assim passaram-se três meses. Um dia, ela achou um meio de se vingar.

Regina sempre via a mamãe usar aquelas bombas de inseticida (chamava-se Flit), quando apareciam baratas ou outros seres desses bem repugnantes, que apavoram qualquer mulher normal, sabem? Hoje não se usam mais, mas à época era o que funcionava. Aparecia um inseto nojento, mamãe corria

EDUCAR SEM CULPA

para "flitar". Mosquitos, pernilongos, besourinhos, mariposas, baratas... Que maravilha! Regina via: três bombadas e plaft! O inimigo estava lá estiradão no chão, inerte. Mortinho da silva! Que objeto fascinante!

Como é que ela não tinha tido a ideia antes? Mamãe sempre deixava a bomba no chão, no corredor, debaixo de um armário. Fácil pegar.

Naquela tarde, entretida no preparo do jantar, mamãe estava feliz. Regininha almoçara bem e estava tirando uma gostosa soneca. Tania mamara tudo, milagre! E a calma da tarde lhe permitia preparar a sopinha do jantar, as costeletas de que o Alfredo tanto gostava. Tudo na santa paz!

De repente, pareceu-lhe ouvir o barulhinho inconfundível da bomba de inseticida sendo usada. Flit, flit, flit!!! Impossível, pensou mamãe. As crianças estavam dormindo. Adulto em casa, só ela.

"Impressão", concluiu, e voltou aos seus legumes.

— Flit, flit, flit, fliiiit!

De novo? E parecia vir do quarto das crianças. Correu para lá. Da porta entreaberta, a cena:

Regina, com a bomba de inseticida nas mãos, subira pela trave externa do meu berço e, apoiando-se na grade, "flitava-me" feliz da vida (afinal, eu não deixava de ser para ela uma barata asquerosa), ao mesmo tempo em que me dizia:

— Cheirinho bom, hein, Tania? Cheirinho bom?

Tudo terminou bem. Estou viva e minha irmã não está com problemas a esse respeito.

Por mais cômica que seja a situaçao, ela ilustra o quanto a criança encontra-se despreparada para enfrentar a força de seus sentimentos e o quanto a inocência dos primeiros anos pode conduzir a atos com consequências até graves. Cabe, portanto, aos pais zelar pela segurança de seus filhos, sem, no entanto, impedir que se manifestem emocional e verbalmente. Poder se expressar, desde que não implique perigo para o outro, é importante. Sobretudo quando a criança não é severamente reprimida, ajuda a diminuir suas próprias culpas, fazendo com que, aos poucos, ela vá reencontrando o equilíbrio, vá percebendo que há lugar para todos no coração dos pais.

O que não deve ocorrer é a psicologização excessiva da situação. Alguns pais, quando tomam consciência de que o ciúme é normal, partem para o outro extremo. Agem de forma a incentivar a permanência *ad eternum* desse sentimento.

Visitando uma amiga que tivera havia dias seu segundo filho, assisti à seguinte cena:

Ela sempre se preocupara demais com a parte psicológica. Nesta época, o filho mais velho estava com cerca de dois aninhos. Toda a visita girou em torno dele, embora tivéssemos ido conhecer o novo bebê.

Primeiro, a mãe perguntou-lhe se nós (as visitas) poderíamos ver o irmão dele. Não, foi a resposta. Explicou-me a mamãe, meio embaraçada, que ele estava com muito ciúme.

Um pouco mais tarde, ela quis ir fazer um café para nós. Pediu licença ao filho para ir "só até a cozinha"; também isso não lhe foi permitido. Ela tinha que ficar com ele no cômodo da casa onde ele estivesse.

De repente, o nenê começou a chorar. Minha amiga levantou-se e convidou o filho para ir com ela ver o que queria o bebê. Ele não quis. Novas barganhas foram tentadas. "Você vem junto!" "O papai fica com você!" O choro aumentava...

"O papai vai, você fica", disse o menino. E assim foi.

EDUCAR SEM CULPA

Inacreditável? Nem tanto. Apenas uma má interpretação do que seja "apoiar psicologicamente os filhos": adultos obedecem, crianças mandam. É uma nova e estranha lei, fundamental para aqueles que querem complicar sua vida...

CAPÍTULO 18

O que fazer se meu filho me bate?

ᏣᏃ

Meu filho está com dois aninhos. Toda vez que digo um "não", seja por que motivo for, ele me bate, chuta e morde. Também chora muito ao mesmo tempo. Ele sempre teve personalidade forte. Fico na dúvida: devo revidar, deixar ou castigar?

Toda criança pequena tem muita dificuldade em dominar suas emoções. Além disso, nessa faixa etária, os sentimentos são muito fortes. Ela ainda não tem maturidade emocional, de modo que, contrariada, explode. Uma das reações típicas é o choro; outra, a agressão. Vai depender da criança. Umas são mais "sentidas" e se utilizam do choro para expressar isso. Outras, mais agressivas, partem para a ação — batem, agridem. É normal esse descontrole.

Freud, na sua teoria da construção da personalidade, explica que, ao nascer, o homem tem apenas a primeira estrutura, o Id, que é basicamente composto de instintos. É emocional e primário. Assim somos ao nascer e nos primeiros anos de vida. Precisamos ser imediatamente atendidos nas nossas necessidades. Então, se o bebê tem fome, ele abre um berreiro; se está molhado ou com frio, idem. Ele precisa ser atendido logo. Não sabe esperar, não consegue.

A segunda estrutura forma-se aos poucos, em contato com o meio — é o Ego. É um sinal de amadurecimento, de crescimento. Uma de suas funções importantes é justamente dotar o indivíduo da capacidade de resistir às frustrações, aos desejos não atingidos. É, pois, uma evolução, uma conquista do homem. Quanto maior a tolerância à frustração, mais o indivíduo se fortalece, no sentido de contornar e superar problemas. Queremos ou não queremos que nossos filhos cresçam emocionalmente?

Conhecer a forma pela qual nossos filhos amadurecem é muito importante. Podemos compreendê-los melhor. Ficamos mais calmos diante de certas atitudes destemperadas e despropositadas que as crianças adotam. Sabemos o que esperar e o que não esperar delas, de acordo com a faixa etária. É muito bom ter esse conhecimento. Ajuda tanto aos pais quanto aos filhos.

Entretanto, compreender a fase que a criança atravessa não significa deixar de educá-la. Apenas, tendo esse saber, os pais deixam de exigir o que a criança não pode dar. Mas devem continuar a educá-la, a socializá-la. Por exemplo, tem gente que a partir de uma determinada idade (nove, dez meses) começa a "treinar" o filho a usar o peniquinho ou o vaso sanitário. Durante meses e meses, colocam o pimpolho sentadinho, à mesma hora, no troninho. Apesar dos protestos. Contam histórias, fazem brincadeiras, palhaçadas, porque senão eles levantam e vão embora. Outras vezes, brigam e obrigam a criança ao ritual diário. E nada. Mais eis que, liberados, uns cinco minutinhos depois enchem a fraldinha... As mães se desesperam e escabelam. Parece que é de propósito, pensam. Mas não é. Quanta energia desperdiçada. Não tivessem feito nada disso, ainda assim, ao cabo de mais uns meses, eles aprenderiam facilmente.

Mas elas continuam lutando, pobres mamães... tanto trabalho inútil! Um belo dia, porém, descobrem que a criança já está avisando quando quer fazer suas necessidades. Felizes da vida, pensam: "Até que enfim! Demorou mas consegui." Na verdade, se não tivessem se submetido a esse sofrimento (porque muitas vezes se torna realmente uma tortura, para ambas as partes), quando chegasse a hora certa, a maturidade da própria criança teria levado ao mesmo resultado, só que de forma muito menos desgastante. Esse tipo de aprendizagem só acontece quando a criança está madura para tal. É um típico caso de prontidão física, biológica.

As mamães de primeira viagem ou que não têm conhecimento sobre o desenvolvimento infantil frequentemente incorrem nesse tipo de trabalho desnecessário.

Muito diferente, porém, é o caso da pergunta. Mesmo sabendo que nosso filhinho ainda não consegue dominar suas emoções, não devemos deixar que eles nos bata, chute ou agrida. De modo nenhum. Eles podem ter suas emoções ainda não dominadas, mas são muito capazes de entender os limites que lhes são colocados. A ação segura e firme, porém carinhosa, dos pais ajuda inclusive a criança a estruturar seu ego de forma mais rápida.

Entretanto, por ignorar isso, muitos pais, quando os filhos ainda são bem pequenos e começam a chorar, espernear, jogar-se no chão, incapazes que são de tolerar contrariedades (como vimos, por não terem ainda o ego formado), dizem — entre orgulhosos e assustados — "esse menino tem uma personalidade"... E passam a repetir e a repetir essa frase toda vez que a criança age da forma descrita. E continuam apanhando do filho. Então, ele aprende que funciona gritar, espernear e chutar para se alcançar o que quer e, claro, cada vez mais repete esse comportamento. É por isso que vemos, hoje em dia, filhos batendo, beliscando, empurrando "puxando" os pais, quando não são atendidos de imediato ou se contrariados em alguma coisa. Porque eles aprenderam que PODEM fazê-lo. Porque permanecem imaturos, instintivos, imediatistas.

Além de não estarmos ajudando em nada nossos filhos com essa atitude, teremos bastante dificuldade em mudar a situação, depois de instalada. É constrangedor ver crianças batendo nos pais, mesmo sabendo que em geral elas não têm forças ou condições para machucá-los. Mas não é o machucar que preocupa: é o que a criança está aprendendo, a forma pela qual ela está lidando com os pais e com o mundo.

Quando seu filho levantar a mão para você, a primeira vez que ele fizer isso deve ser também a última. Em primeiro lugar, porque se você o respeita deve ensiná-lo também a respeitar o outro. Em segundo, porque temos a obrigação de lhes passar a noção de respeito aos mais velhos. E, em terceiro, porque os estaremos ajudando ao ensinarmos que eles têm que aprender a se controlar, a controlar suas emoções, suas raivas, seus ódios. Temos que ajudá-los a tolerar as frustrações. Temos também que preservar nossa autoridade de pais. E isso não é "errado" nem do ponto de vista psicológico nem educacional. E é muito correto do ponto de vista ético.

Alguns pais permitem que seus filhos lhes batam porque acham que eles ainda são muito pequenos para entender. Também temem ser muito autoritários cada vez que dizem "não". Essa é uma visão equivocada, distorcida, da educação moderna. Compreender é uma coisa, permitir é outra.

Não é nada difícil conseguir evitar isso. Algumas pessoas me perguntam: Como? Devo bater se ela me bate? Claro que não. Jamais devemos fazer isso. Afinal, NÓS TEMOS MATURIDADE EMOCIONAL, ou não? Devemos, sim, EVITAR QUE A CRIANÇA NOS ATINJA. Basta que seguremos sua mãozinha, com firmeza, mas sem machucá-la e lhe falemos, com muita segurança E BEM SÉRIOS: "Isso é muito feio, você não pode me bater" ou qualquer coisa do gênero. O importante é não permitir MESMO, desde logo.

Se houver outras tentativas, quantas vezes forem, devemos repetir a mesma atitude. Podemos também (funciona muito) proceder à "retirada de afeto", ou seja, dizer que estamos tristes porque nosso filhinho agiu mal e que por isso não vamos mais brincar juntinhos hoje, ou cantar, ou descer para o *play*. Enfim, cortar alguma atividade que vocês fazem juntos habitualmente. Ele irá compreendendo que cada ação provoca uma reação, e que esta poderá ser de aprovação ou de restrição.

Dessa forma, com bastante facilidade e muita firmeza, em poucas vezes (desde que mantida a atitude) a criança compreenderá que realmente esse tipo de comportamento não será aceito, em hipótese nenhuma. E deixará de fazê-lo.

E não se preocupe: você só estará fazendo bem ao seu filho. Ele precisa de limites e lhe agradecerá por isso. Faça com segurança, mas também com carinho. Firmeza não quer dizer grosseria, nem agressividade. Mas não deixe de fazê-lo. Será bom para todos.

CAPÍTULO 19

Mesma educação, mas tão diferentes...

ೞ

Tenho dois filhos. Sempre agi de forma igual com os dois, mas com um tudo dá certo, ele aceita o que eu digo, obedece; o outro é revoltado, teima e não me ouve. Não sei mais o que fazer...

É assim mesmo. Cada filho é um filho, tenhamos dois ou dez. São diferentes, cada um tem seu jeitinho. Um é meigo, adora carinho. O outro não deixa ninguém chegar perto. Um estuda sem que precisemos nem falar. Outro tem que ser "tocado" dia a dia, senão lá vem bilhetinho da escola. Um gosta de música, outro de esportes. Um é compreensivo, o outro exigente.

Por isso é tão difícil a nossa tarefa. Mas também por isso mesmo é tão desafiadora e tão incrivelmente maravilhoso acompanhar seu desenvolvimento.

O que podemos dizer a respeito é que, devido a essas diferenças, cada pai ou mãe, com seu amor e sensibilidade, precisa descobrir a melhor maneira de lidar com cada filho. Qual o caminho que leva mais rápido aos seus coraçõezinhos?

Claro, seria muito mais fácil se todos "funcionassem" da mesma forma e, de preferência, como uma maquininha, bem perfeita, que não desse defeito nunca. Seria sopa no mel...

Mas não é assim. Cabe-nos portanto a tarefa de, além de educar, descobrir como funcionam a cabecinha e o coração de cada um de nossos filhos.

Com alguns só temos resultado conversando, falando, dialogando, E SEMPRE DE FORMA CARINHOSA. Qualquer alteração na nossa voz (um dia de menos paciência, por exemplo) e pronto! Já está ele ressentido. Outros sabem ficar quietinhos quando a "tempestade" começa. São mestres na arte de se "fingir de morto". Só ressuscitam passada a tormenta... Fazem resistência passiva, são sedutores. É assim, e viva a diferença...

Se pensarmos bem, veremos que cada um tem suas qualidades, seus defeitos, suas idiossincrasias. É natural. Não somos nós também diferentes dos nossos irmãos? Então, como esperar que os nossos filhos sejam iguais?

Descobrir o que funciona com cada um não significa, no entanto — e isso é o que importa —, agir de forma diferente com eles. Os princípios os fundamentos, as regras do jogo têm que ser iguais para todos. A igualdade de tratamento é fundamental. O que muda é o caminho para se chegar a cada um. A estratégia. O conteúdo do que vamos passar, porém, tem que ser o mesmo para todos. Afinal, são as nossas metas educacionais. É a nossa ética, os nossos valores que queremos passar para nossos filhos.

Alguns pais confundem as coisas, tal a dificuldade que, por vezes, se instala nas nossas casas. Um filho teimoso, rabugento, respondão pode levar os pais a um tal desespero, ao final de um tempo, que realmente eles começam a facilitar as coisas para esse filho, só para ter um pouquinho de paz em casa.

Mas esse é um caminho que devemos evitar a qualquer custo, muito embora, às vezes, seja bastante difícil.

Em geral a criança teimosa, criadora de caso, rabugenta acaba levando vantagem sobre as dóceis e obedientes. É que o dia a dia dos pais é tão complicado, tão cheio de tarefas e solicitações que, em geral, quem grita mais acaba sendo mais ouvido mesmo. E o "bonzinho", o "quietinho" vai sendo deixado em segundo plano, justamente porque é menos reivindicador, menos questionador ou menos agressivo. Os pais devem fazer um esforço grande para evitar que isso aconteça, porque estarão premiando o comportamento indesejado e punindo justamente aquele que se comporta melhor. Isso pode levar o menino mais obediente a questionar se o seu modo de agir "vale a pena". Em resposta, poderá mudar, tentando imitar o irmão que consegue, afinal, o que deseja, ou, se não conseguir esta mudança, ficar muito ressentido com os pais.

Muitas vezes isso acontece nas famílias, no trabalho, nas relações pessoais. Aquele que está sempre insatisfeito, reclamando, exigindo acaba intimidando os demais e, por isso, termina por conseguir o que quer. Algumas instituições até premiam, de certa forma, esse tipo de pessoas, colocando-as em cargos de "assessoria" ou naqueles que os afastem de seu caminho, porque acham mais fácil do que enfrentá-las. Afinal, fazem uma tal confusão que acabam inibindo os outros. Mas é um erro que não devemos repetir em nossas casas.

É importantíssimo que "esfriemos a cabeça" de tempos em tempos para ver se isto não está acontecendo também conosco. A melhor forma de se fazer repetir um comportamento é premiando, já nos dizia Skinner. Então, vamos premiar, vamos incentivar e mostrar nossa satisfação com quem age corretamente. E, em contrapartida, vamos tentar não nos deixar levar pelo "zumbido" que nos fazem aos ouvidos aqueles que vivem reclamando, teimando, desobedecendo, exigindo.

O que não podemos esquecer é aquilo que desejamos ensinar para os nossos filhos. E essas coisas têm que estar acima do modo como se comporta cada um de nossos filhos. Se desejamos que eles aprendam a cumprimentar as pessoas com quem se encontram, para dar um exemplo bem simples, teremos que repetir e repetir essa mensagem um sem-número de vezes. Um filho de personalidade mais dócil não se aborrecerá com a nossa insistência. O "zangado", qual o anãozinho da história da Branca de Neve, ficará muito contrariado toda vez que você lhe lembrar do combinado. Resmungará, talvez questione novamente a necessidade "dessa bobeira", talvez fique de cara feia o resto da tarde. Mas você, imbuído da justeza do que pretende, não se deixará levar por essas demonstrações de mau humor. No fim, tudo dará certo, e ambos, o zangado e o dócil, terão aprendido.

O que não pode acontecer é você deixar de exigir que AMBOS cumpram o combinado. Talvez tenhamos que conversar mais vezes com um e poucas com o outro. Mas, embora por caminhos diferentes, teremos que chegar, ao final, ao mesmo lugar com os dois. Porque os dois são filhos, aos dois queremos legar o mesmo conjunto de valores. Aos dois queremos dar as mesmas chances na vida. E, principalmente, não podemos nunca esquecer que nossos filhos aprendem talvez mais com o nosso exemplo do que com a nossa fala. Então, como explicar, já que falamos tanto em ética, como explicar-lhes, repito, que nós próprios não sejamos justos nem mesmo com os nossos filhos, se a questão da justiça é um dos princípios mais importantes que lhes podemos legar?

Conclusões

Por uma educação ética

☙

Uma das coisas que mais me preocupam atualmente é a questão da ética. Não somente a mim, mas a todos os brasileiros que, como eu, amam e acreditam neste país, em seu potencial, em sua gente. Ouve-se falar, repetidamente, que estamos vivendo uma crise de valores. E de fato estamos. Quando se vivencia o que vivenciamos no governo maior da nação, quando assistimos a nossos dirigentes — sem generalizar, mas em grande parte — só se preocupando com seu próprio bem-estar e enriquecimento, enquanto o povo míngua e morre a cada dia que passa; quando se vê que os benefícios sociais mais básicos — como saúde, alimentação, moradia, educação — parecem a cada dia mais distantes da grande maioria dos brasileiros; quando vemos nossos hospitais, universidades e escolas sem verbas e prédios públicos luxuosos sendo reformados a cada ano; quando todos os dias um novo escândalo de apropriação de recursos públicos é denunciado nos jornais — e fica por isso mesmo; quando a impunidade parece ser a lei maior, quando tudo isso e muito mais acontece... é normal, é humano nos questionarmos: vale a pena continuarmos nossa luta? Vale a pena educar nosso filho segundo as rígidas regras da honestidade e da honradez? Será que vai ter lugar para ele, criado dessa forma, num mundo como o que vemos? Será que, desta forma, ele terá instrumental para se defender da "lei de Gerson", da "lei do mais forte", da injustiça e da falta de caráter que parecem prevalecer em nossa sociedade? Estaremos dando aos nossos filhos as armas adequadas para lutar dentro do tipo de vida que vemos existir hoje?

Haverá, por outro lado, algum jeito de mudar essa situação? São essas as interrogações que, angustiados, se fazem os pais.

Essas dúvidas, aliadas à incerteza quanto à melhor forma de educar modernamente e à culpa que permeia a relação pelo excesso de psicologismo, pelo pedagogismo e pelo individualismo de cada um, levam ao imobilismo, a um comportamento acomodado, cético, por parte dos pais quanto à importância do seu próprio papel. Dessa forma, param de agir como educadores, por não saberem se "vale a pena" lutar tanto com os filhos, já que é muito mais difícil perseguir e alcançar objetivos como a formação de valores, o respeito pelo outro, a democracia, a luta pela dignidade a que todo homem tem direito etc. "Deixar o barco correr" pode parecer então a solução mais prática. E é. Se for isso o que desejamos, simplesmente isso — o que é mais prático, mais fácil e menos trabalhoso —, então, pais, devemos realmente "deixar as coisas acontecerem".

Se, ao pensarmos o futuro de nossos filhos, só o fazemos em termos de sucesso financeiro e de *status* social, então realmente o melhor é não insistir sobre o que é certo ou errado, sobre honestidade, sobre ser produtivo, sobre dar um pouco de contribuição pessoal para a melhoria do nosso povo.

Se, olhando nossos filhos, não os queremos idealistas, como acredito que todo jovem sadio deva ser, se não desejamos vê-los lutando para realizar algo, para dar sua contribuição enquan-

EDUCAR SEM CULPA

to têm o ardor e a garra da juventude; se, ao contrário, desejamos apenas que eles "se deem bem" na vida, atribuindo a isso significados como ter dinheiro, muito dinheiro, comprar tudo que a sociedade de consumo lhes possa oferecer, subir, subir e subir na escala social, então a melhor forma de conseguir isso é acreditar que ninguém, mas ninguém mesmo neste imenso Brasil é honesto — só nós; que nada vale a pena porque só triunfam as nulidades, como dizia Rui Barbosa; que só quem rouba, usurpa, trapaceia é que vence; se é assim que pensamos, devemos realmente escolher o caminho mais fácil — vamos deixar as coisas como estão e tudo continuará, para eles também, da mesma forma no futuro.

Mas se, ao contrário, queremos lhes dar a oportunidade de viver numa sociedade melhor, mais justa e harmônica, democrática, mais humana, temos que acreditar que, em muitos e muitos lares, outros pais se angustiam como nós; que, em muitos lugares do Brasil, outros brasileiros, honestos como nós, lutam para mudar o quadro que aí vemos instalado, cada um do seu modo, cada um do jeito que pode ou pensa ser o melhor.

Temos que acreditar que não estamos sozinhos, como eu sempre acreditei e comprovei contactando, nessas mais de setenta palestras, milhares de pais com as mesmas dúvidas e angústias, mas também com o mesmo desejo sincero e forte de acertar.

E, para isso, temos que utilizar nosso espaço de educadores, com todo o entusiasmo de que formos capazes, cada um em sua casa, com a sua família, resgatando valores, formando a consciência crítica e justa de nossos filhos. Não abrir mão jamais desse papel extraordinário que cabe aos pais, por mais penoso, lento e conturbado que seja — o de geradores da ética, construtores da moral de nossos filhos, que não são nada mais nada menos que os cidadãos que juntos, num futuro próximo, constituirão a nova massa de brasileiros que estarão galgando cargos e posições de comando neste país. É da forma de ver o mundo de cada um deles que dependerá o futuro. E é da forma que lhes passarmos a nossa visão de mundo que eles enxergarão. Não nos deixemos levar pela desesperança, mesmo quando tudo parecer perdido. Lembremo-nos sempre de que se um de nós pensa e luta contra tudo de errado que está por aí, outros, certamente, haverão de estar fazendo o mesmo. Não tenhamos a pretensão, a vaidade de pensar que só nós vemos o certo e o errado. Isso só interessa a quem deseja manter o *status quo*, a quem deseja que tudo permaneça como está.

Mas não interessa, certamente, a quem como nós, pais modernos, luta por uma sociedade melhor, para que nossos filhos e netos (porém não somente eles, também os filhos de todos os outros cidadãos) tenham um lugar mais digno para viver o amanhã.

Este livro foi composto na tipologia Revival 565 BT,
em corpo 11/15, e impresso em papel
off-white 90g/m² no Sistema Cameron da
Divisão Gráfica da Distribuidora Record.